Quiproquo
sur Dieu

Catalogage avant publication de Bibliothèque et Archives nationales du Québec et Bibliothèque et Archives Canada

Lamborelle, Bernard, 1965-

    Quiproquo sur Dieu: 3500 ans pour élucider la véritable identité du seigneur d'Abraham

        Comprend des réf. bibliogr.

    ISBN 978-2-923369-12-9

1. Dieu - Enseignement biblique. 2. Dieu - Histoire des doctrines. 3. Bible. A.T. Genèse - Critique, interprétation, etc. 4. Patriarches (Bible). I. Titre.

BS1192.6.L35 2009   231   C2009-940567-9

Révision: Raymond Lamborelle
Photo de l'auteur: Studio Peter Cashin
Conception graphique et mise en pages: Olivier Lasser et Amélie Barrette
Peinture couverture: Rembrandt Harmensz. van Rijn. *Le sacrifice d'Isaac.*
Huile sur toile. 193 x 132 cm. Inv.no. GE-727. The State Hermitage State Museum, St. Petersburg.

Les passages de la Bible sont extraits de l'édition de l'Ancien Testament de John Nelson Darby (1885) et sont reconnus libres de droit.

© Bernard Lamborelle, 2009

ISBN 978-2-923369-12-9

Dépôt légal BAnQ : 1er trimestre 2009
Bibliothèque et Archives Canada

Partagez vos commentaires sur:
http://bernardlamborelle.blogauteurs.net/blog/

Editas
8393, rue Oscar-Roland
Montréal (Québec) H2M 2T4
Tél.: 514-842-3900
editas@editas.net

Imprimé au Canada

À Jean,

Merci d'avoir pris le temps d'échanger avec moi, c'est un plaisir que j'espère poursuivre !

Bonne lecture

oct 2009

Bernard Lamborelle

Quiproquo sur Dieu

3 500 ANS POUR ÉLUCIDER LA VÉRITABLE IDENTITÉ
DU « SEIGNEUR » D'ABRAHAM

ESSAI HISTORIQUE

EDITAS

À tous les auteurs, copistes, scribes et traducteurs de la Bible qui se sont succédé et ont su résister durant plus de trois mille ans à la tentation d'éliminer les incohérences contenues dans les Écritures, sans lesquelles une nouvelle interprétation n'aurait pu se frayer un chemin jusqu'à nous.

À tous les archéologues, historiens, exégètes, biblistes et autres passionnés qui ont inlassablement cherché à situer la Bible dans un contexte historique et nous ont fourni les éléments de base pour étayer notre analyse.

À tous ceux qui contribuent au développement des technologies de l'information, moteur de la démocratisation des connaissances, auxquelles ils nous ont permis d'accéder.

À tous les hommes et les femmes de bonne volonté qui s'interrogent sans complaisance sur les religions et se passionnent pour la différence.

À tous les lecteurs qui pourraient se sentir heurtés par le contenu de ce livre en raison des dictats de leur foi.

« *Qu'il soit juif, chrétien ou musulman, un croyant n'en est pas moins fervent dès qu'il est convaincu d'adhérer à la « bonne » religion. En admettant que l'intensité de la foi témoigne d'un quelconque rapport avec le divin, on se voit obligé d'admettre l'une des deux assertions suivantes : ou bien Dieu reconnaît la même valeur à toutes les religions ; ou bien le concept de Dieu n'est qu'une construction de l'esprit croyant.* » – B.L.

TABLE DES MATIÈRES

AVANT-PROPOS

C'est un concours de circonstances plutôt qu'une entreprise délibérée qui m'a lancé dans cette aventure. En quête de réponses existentielles, j'avais tenté à plusieurs reprises d'entamer la lecture de la Bible. Mais chaque fois, je refermais le Livre, désorienté par son manque de clarté et déçu de n'avoir pas réussi à percer le mystère de la foi. Influencé sans doute par mon éducation, j'entretenais tout de même l'espoir secret qu'avec une plus grande maturité, je pourrais un jour en saisir le sens profond.

C'est en quelque sorte ce qui allait se produire lorsque je suis tombé sur la version commentée de l'œuvre par Gérald Messadié, *Les cinq livres secrets dans la Bible*. Croyant très engagé, Messadié propose néanmoins une lecture des textes bibliques qui invite à la réflexion. Le contexte de cette nouvelle lecture ouvrit une brèche dans mon esprit :

Et s'il y avait eu méprise sur la véritable identité du « Seigneur » d'Abraham ?

La nature anthropomorphique de Yahvé autorise à poser cette question, d'autant plus que l'histoire regorge de mégalomanes qui ont cherché à se déifier. Curieusement, il semble que personne ne se soit employé à explorer sérieusement cette piste, les uns préférant sans doute s'en remettre à leur foi, et les autres au mythe pour tenter de rationaliser cette apparente anomalie. Pourtant, de nombreuses pages de notre histoire sont régulièrement revisitées par les historiens. Pourquoi l'Alliance que conclut Yahvé avec Abraham ne le serait-elle pas, elle aussi? Pourquoi n'aurait-elle pas comme point de départ le récit d'un événement historique précis à partir duquel le dogme aurait pris naissance? On devrait alors pouvoir en retracer le processus de mythification: un événement de cette importance aurait certainement dû laisser des traces.

De fil en aiguille, au bout de six années de recherche, j'ai pu étayer la thèse étonnante que je présente aujourd'hui dans cet ouvrage. Mais si les lieux, les dates, les événements et les personnages auxquels je fais référence s'intègrent parfaitement dans l'histoire comme les pièces d'un puzzle, il serait malgré tout présomptueux d'exclure toute possibilité de critique ou de questionnement des hypothèses avancées, car certaines données manquent toujours. Il n'en reste pas moins que la thèse de base demeure convaincante. Car si l'on peut spéculer à partir d'une absence de preuves, il apparaît difficile d'expliquer la concordance d'une telle quantité d'informations par le seul fruit du hasard.

La relecture à laquelle je convie le lecteur doit se situer sur un plan historique. Elle n'a pour objectif, ni d'ébranler le sens profond de la foi, ni de remettre en cause la réalité divine. Elle vise simplement à expliquer comment une mauvaise interprétation de textes anciens aura permis à tant d'hommes, généralement bien intentionnés, de perpétuer le dogme de l'Alliance. À ce titre, une connaissance des textes de la Genèse, même limitée, serait tout indiquée pour une meilleure compréhension du présent essai.

De manière à respecter la plus grande rigueur, j'ai abordé mon sujet en proposant une chronologie qui colle à l'histoire et en évitant le piège qui consiste à «tordre» la réalité ou à ne s'attarder qu'aux faits qui la soutiennent.

Pour alléger le texte, et sauf mention contraire, toutes les dates relatées dans cet ouvrage sont antérieures à l'ère courante (AEC)[1] – qu'elles soient exprimées en années ou en siècles. Par ailleurs, de nombreuses dates de l'Antiquité font toujours l'objet de débats entre spécialistes. J'ai tenté d'attirer l'attention du lecteur sur cet aspect. J'ai adopté la chronologie moyenne pour les dates relatives aux règnes du Proche-Orient ancien et situé la période du Bronze moyen entre 2000 et 1500.

Afin de caractériser la relation de soumission qu'entretient Abraham avec Yahvé, je me suis permis de transposer les notions de «seigneur», «suzerain» et «vassal» à cette période de l'Antiquité, et ce, même si elles font normalement référence à une réalité sociale du Moyen-Âge féodal.

Finalement, les nombreux passages de la Bible sont extraits de l'Ancien Testament de John Nelson Darby. Mais pour me rapprocher davantage des textes hébreux d'origine, j'ai respectivement substitué les termes «Éternel» et «Dieu» à ceux de «Yahvé» et de «Élohim».

Pour aider le lecteur à s'y retrouver dans les personnages, j'ai ajouté en fin d'ouvrage la distribution des rôles, une généalogie revue et corrigée des Patriarches ainsi qu'une carte de la région.

BERNARD LAMBORELLE – AVRIL 2009

---

1   La méthode classique consiste à indiquer les dates par l'emploi de **av. J.-C.** et **ap. J.-C.** (avant et après Jésus-Christ). Mais étant donné que le Christ serait plutôt né en l'an 4-5 av. J.-C., mais aussi parce que de nombreux événements ne concernent pas les peuples chrétiens, il est maintenant conseillé d'utiliser **AEC** (avant l'ère courante) et **EC** (ère courante).

PREMIÈRE PARTIE

LE « SEIGNEUR » D'ABRAHAM

L'origine du Pentateuque
Des incohérences
Les multiples noms de Dieu
À la recherche du Seigneur

LE LEVANT

Aux confins de la terre promise
Les idoles d'Abraham
Yahvé ou Baal ?

L'ÉGYPTE

Le riche Delta du Nil
Le Moyen Empire
La Deuxième période intermédiaire

LA MÉSOPOTAMIE

Le berceau de la civilisation
Le Déluge retrouvé
Les Amorrites prennent le pouvoir
Les dieux de Babylone
Une culture effervescente
Par-delà les frontières
Le comput du temps

UNE NOUVELLE GRILLE POUR INTERPRÉTER LA GENÈSE

1. Yahvé est un seigneur, Élohim est un Dieu
2. Abraham ne connaissait pas Yahvé
3. L'ordre de certaines tablettes a été interchangé
4. L'orthographe des noms propres varie beaucoup
5. Les dates doivent être interprétées correctement

– 1 –

Le « Seigneur » d'Abraham

L a Bible demeure l'un des livres les plus lus et les plus fasci-
nants au monde. Un récent sondage aux États-Unis révèle
qu'il arrive toujours en tête du palmarès de l'édition, suivi de
Autant en emporte le vent et du *Seigneur des Anneaux.*[2] Et pour
cause: non seulement c'est l'un des plus vieux livres de l'humanité, mais c'est également, et surtout, un livre «sacré» qui
a traversé toutes les régions du monde, les époques et les cultures.
Cependant, la Bible est également un des livres les plus controversés.

L'histoire des Patriarches constitue un des récits les plus
poignants. Il raconte le destin fascinant d'Abraham et de ses
descendants, humbles bergers vivant en «terre sainte» il y a
3 500 ans, et de la relation exceptionnelle qu'ils établissent et
entretiennent avec un nouveau Dieu: Yahvé. C'est dans ce récit
que Yahvé se révèle à Abraham et conclut une Alliance avec lui, en
reconnaissance d'une foi exclusive, absolue et inébranlable. Juifs,
chrétiens et musulmans reconnaissent en cet épisode l'élément
fondateur des trois grandes religions monothéistes et confèrent
aux Patriarches le titre bienveillant de «pères fondateurs».

---

2   *The Harris Poll* #38, 8 avril 2008

Mythe, fabulation ou histoire? Aucune trace de ces personnages n'a été retrouvée malgré d'innombrables fouilles archéologiques. Si quelques pistes ont pu susciter l'intérêt des communautés scientifiques et religieuses, l'enthousiasme initial a rapidement fait place à la déception. À ce jour, aucun texte, statue, effigie, ruine, ou fresque de cette période du Bronze moyen (2000 à 1550) n'a été retrouvé qui témoigne de l'existence des Patriarches ou de leur pensée fondatrice. Bien au contraire, il semble que les fouilles n'ont servi qu'à amplifier les nombreuses contradictions qui existent entre le récit biblique et les données historiques.

Les avis sont partagés et le débat se poursuit. Est-il vraiment réaliste de croire qu'une poignée d'hommes à l'origine de l'une des plus importantes révolutions religieuses de l'histoire de l'humanité n'aient laissé derrière eux aucun vestige? C'est pourtant le constat troublant auquel la communauté scientifique semble devoir se rallier. Robert David, professeur titulaire à la Faculté de théologie et de sciences des religions de l'Université de Montréal, exprime très clairement l'état de la pensée moderne :

> *Depuis quelques décennies déjà, les recherches sur les textes de la Genèse ne s'intéressent plus à une quelconque historicité des récits patriarcaux telle qu'on a pu la promouvoir dans les années 1950 à 1970. Il semble de plus en plus clair, dans la communauté scientifique, que les récits patriarcaux n'ont pas été composés avant le VIIe siècle, peut-être même pas avant le Ve siècle avant notre ère (certains avancent même le IIe siècle). Ils sont étudiés aujourd'hui non pas pour ce qu'ils pourraient nous révéler de l'époque du Bronze (qu'il soit Moyen ou Récent) mais pour ce qu'ils peuvent nous apprendre de la communauté juive de l'époque assyrienne, sans doute aussi de celles des époques exilique et post exilique.[3]*

---

3   Extrait autorisé d'une communication personnelle.

Alors, qui est donc ce «Dieu» qui s'est révélé à Abraham et aux Patriarches? En Égypte, en Mésopotamie et ailleurs, l'exercice du pouvoir a longtemps revêtu une dimension sacrée : ce privilège est conféré au roi par une divinité locale.[4] En contrepartie, le roi agit comme grand prêtre du culte. Mais seul un tout petit pas sépare le représentant de dieu de dieu lui-même. Alors, faut-il s'étonner que de nombreux pharaons et rois de l'Antiquité se soient empressés de le franchir en se faisant déifier de leur vivant? C'est pourquoi les titres de «seigneur», «demi-dieu» et «dieu» qui leur étaient attribués peuvent prêter à confusion. Un grain de sable se serait-il glissé dans l'engrenage qui aurait échappé aux regards vigilants de tant d'hommes et de femmes? Serait-il possible qu'un quiproquo sur la nature du Dieu d'Abraham soit à l'origine de l'une des plus grandes méprises de tous les temps?

En lui reconnaissant d'emblée une dimension divine, ne néglige-t-on pas de remettre en cause une donnée fondamentale de ce récit? Si le «Dieu» d'Abraham était un roi puissant, plutôt qu'un être divin, ne conviendrait-il pas de relire les écrits à la recherche de nouveaux indices? Poser la question permet de revisiter les données disponibles sous un nouvel angle. La boîte de Pandore entrouverte, les apparentes incohérences vont-elles révéler leur véritable secret? Dans cet ouvrage, nous allons nous employer à étudier cette possibilité.

Mais avant d'élaborer une théorie visant à démontrer qu'il y a eu malentendu, il convient de faire un bref retour historique sur l'origine du Livre ainsi que sur les circonstances qui ont entouré sa rédaction, démarche indispensable pour comprendre les grandes lignes de son évolution, celles-ci étant intimement liées à son interprétation.

---

4   Les vestiges de ces pratiques trouvent des échos jusque dans nos sociétés où les institutions modernes continuent, pour légitimer leur pouvoir, d'assermenter leurs dirigeants en leur faisant prêter serment devant «Dieu» ou sur la Bible.

L'origine du Pentateuque

Le «Pentateuque» est le nom particulier donné aux cinq premiers livres de la Bible: la Genèse, l'Exode, le Lévitique, les Nombres et le Deutéronome. Pour les juifs, cet ensemble de livres s'appelle la «Torah» (la Loi). Son origine exacte reste inconnue, mais c'est plus probablement à la suite de la destruction du premier Temple de Jérusalem par Nabuchodonosor au VIe siècle AEC et de leur exil à Babylone que les Hébreux cherchent à sacraliser leur histoire dans le but de se forger une identité unificatrice. Ils rassemblent pour la première fois les écrits sacrés pour leur donner, à peu de chose près, la forme qu'on leur connaît aujourd'hui.

Véritable mémoire du peuple hébreu et de sa relation avec le divin, la Genèse raconte la création du monde, du jardin d'Éden à la tour de Babel jusqu'aux Patriarches, en passant par l'arche de Noé. L'histoire d'Abraham se résume ainsi:

À la demande de Dieu, Abram (qui deviendra plus tard Abraham) quitte Ur en Chaldée pour se diriger vers Canaan afin de prendre possession de la terre promise. Ne pouvant avoir d'enfant avec sa femme, il se résignera à obtenir de sa servante Hagar un premier fils, Ismaël. Mais celui-ci sera vite source de discorde au sein du couple et Dieu finira par intervenir en faveur de Sarah, malgré son âge avancé, afin qu'elle puisse donner naissance à Isaac. L'histoire atteint son paroxysme lorsque Dieu met la foi d'Abraham à l'épreuve en exigeant de lui le sacrifice ultime de son fils. Résigné, le patriarche est prêt à s'exécuter quand Dieu, convaincu de sa fidélité, intercède pour sauver l'enfant.

Depuis ce jour, «la foi abrahamique» incarne le symbole de la récompense et de la miséricorde de Dieu en échange d'une foi exclusive, absolue et inébranlable.

Cet épisode représente le fondement des religions juive, chrétienne et islamique. Et bien que toutes trois aient évolué de façon différente dans le temps, le développement de leur croyance respective s'articule autour d'Abraham, d'Isaac, d'Ismaël, de Jacob et de Joseph, et plus particulièrement autour de l'Alliance que Dieu a conclue avec eux :

Gn 15:18 Yahvé fit alliance avec Abraham et dit : Je donne ce pays à ta postérité, depuis le fleuve d'Égypte jusqu'au grand fleuve Euphrate.

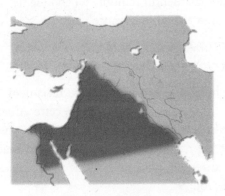

1: La « terre promise »

Faisant suite aux textes de la Genèse, l'Exode raconte comment les descendants d'Abraham, devenus esclaves en Égypte, recouvreront leur liberté lorsque Moïse les mènera vers la terre promise avec l'aide de Dieu, en établissant pour eux les commandements divins, garants de leur engagement et de leur foi.

À partir de ces écrits s'échafauderont tous les autres livres et, par la même occasion, tout un système de pensée qui va se diversifier, se complexifier et se diviser au fil du temps.

Les juifs prétendent descendre d'Isaac. Et comme Dieu a fait alliance avec Abraham et avec son fils Isaac, ils se sentent investis d'un pouvoir particulier :

Gn 17:21 Mais mon alliance, je l'établirai avec Isaac, que Sarah t'enfantera en cette saison, l'année qui vient.

Les chrétiens se rangent depuis toujours du côté des juifs, car Jésus est un descendant du roi Salomon, fils de David, lui-même issu de la lignée d'Isaac. Et bien qu'ils attribuent aux Patriarches un rôle plus secondaire, ils ne sauraient nier leur importance et leur contribution.[5]

Pour leur part, les Arabes musulmans prétendent descendre d'Ismaël, le premier fils qu'Abraham a eu avec sa servante égyptienne. Ils s'opposent depuis toujours aux descendants d'Isaac. L'origine de ce malentendu remonte à l'époque des Patriarches au moment où Sarah chasse sa servante Hagar.

> *Gn 21:10 Chasse cette servante et son fils; car le fils de cette servante n'héritera pas avec mon fils, avec Isaac.*

Si juifs, chrétiens et musulmans se réclament tous héritiers légitimes d'Abraham, la foi aveugle en cette Alliance continue aujourd'hui encore d'alimenter les conflits et les passions les plus vives. Il suffit de regarder du côté de l'État d'Israël où juifs et musulmans s'entretuent pour un bout de territoire, essentiellement au nom de leur foi.

Lors de l'exil de Babylone, nombreux furent les Juifs qui croyaient que leur malheur provenait d'un relâchement de leur foi et d'un manquement aux règles prescrites.[6] Ils étaient convaincus qu'un retour aux valeurs fondamentales leur permettrait de retrouver la liberté et leur terre. La diaspora juive fondamentaliste continue de souscrire à cette vision.

---

5   Walter C. Kaiser, *The Old Testament Documents: Are They Reliable & Relevant?*, InterVarsity Press, 2001

6   "captivity", *The Jewish Encyclopedia*, Funk and Wagnalls, 1906

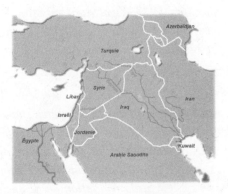

2: Proche Orient moderne

À la fin de la Deuxième Guerre mondiale, le mouvement sioniste réussit à convaincre la communauté internationale de créer l'État d'Israël sur les « terres promises » en réclamant partiellement la légitimité de cette Alliance. Des groupes actifs un peu partout dans le monde continuent de revendiquer ce territoire. Le chef de l'un d'entre eux, le pasteur américain John Hagee, recueille des dons et a déjà contribué pour des dizaines de millions de dollars à la construction de colonies dans la bande de Gaza, dans le but avoué et sans détour de réaliser la prophétie biblique qu'il appelle « Exode II ».[7]

De nos jours encore, la revendication de la Terre promise continue d'être d'actualité :

- *Le 30 août 1967, le général Moshe Dayan déclarait: « Puisque nous possédons la Bible et que nous sommes le peuple mentionné, nous revendiquons la totalité des terres bibliques ».[8]*

- *Le 25 février 1994, le Dr. Baruch Goldstein massacre 29 musulmans qui priaient sur la tombe des Patriarches.[9]*

---

7   John Hagee Ministries, San Antonio, Texas, États-Unis

8   *Jerusalem Post*, 30 août 1967

9   *Time Magazine*, Vol. 143 n°. 10, p. 48

- *Le 4 novembre 1995, Yigal Amir assassine Yitzhak Rabin, prix Nobel de la Paix, parce que celui-ci a signé les accords d'Oslo et est disposé à céder aux Arabes une partie des «terres promises».[10]*

- *Le 15 mai 2008, le président Georges W. Bush déclare à la Knesset: «Il y a 60 ans, à Tel-Aviv, David Ben-Gurion proclamait l'indépendance d'Israël en se fondant sur le «droit naturel du peuple juif d'être maître de son destin». Ce qui s'ensuivit fut bien davantage que l'établissement d'un nouveau pays. Ce fut la réalisation d'une ancienne promesse faite à Abraham, à Moïse et à David: une patrie pour le peuple choisi, Eretz YIsraël.»[11]*

Des incohérences

Les nombreux paradoxes que renferme la Bible contribuent sans doute à façonner son caractère aussi fascinant qu'énigmatique. Car si certains textes révèlent un dieu à la dimension «divine», d'autres nous montrent un personnage au tempérament «guerrier» qui présente, à l'évidence, une fiche morale peu reluisante! C'est pourquoi de tout temps, ces livres sacrés ont dû être interprétés, la compréhension au premier degré soulevant plus de questions qu'elle n'apporte de réponses. Mais si Dieu avait un message à livrer au plus grand nombre, n'aurait-il pas plutôt cherché à le simplifier et à le clarifier? N'est-ce pas précisément ce que les musulmans reprochent à la Bible en prétendant qu'elle aurait perdu son sens profond en raison des nombreuses transcriptions dont elle fut victime? Bien sûr, des siècles de réflexion auront permis aux autorités religieuses de nous offrir quantité de réponses et d'interprétations plus «modernes» en déplaçant le débat des écritures vers la «substantifique moelle» qu'elles sont censées renfermer.

---

10 *Time Magazine*, Vol. 146 n°. 20

11 White House, *Presidential Speeches*, 15 mai 2008

Mais il n'en demeure pas moins que plusieurs questions re-mettent toujours en cause le caractère authentique des Écritures Sacrées :

- *Si Dieu est véritablement unique, pourquoi apparaît-il tantôt sous le nom d'Élohim (Dieu) et tantôt sous celui de Yahvé (l'Éternel) ?*

- *Si Dieu proscrit l'inceste, pourquoi Abraham était-il marié à sa demi-sœur ? Et pourquoi les fils de Lot, issus d'une relation incestueuse avec ses filles, sont-ils devenus les pères des nations moabites et ammonites ?*

- *Si Dieu est miséricorde, pourquoi aurait-il décimé les habitants de Sodome plutôt que de chercher à les sauver ?*

- *Si Dieu nous aime tous autant que nous sommes, pourquoi aurait-il donné en exclusivité au peuple juif la « Terre promise » ?*

- *Pourquoi Ismaël, alors encore tout jeune enfant, n'a-t-il pu aux yeux de Dieu être suffisamment digne d'hériter de cette terre ?*

- *Pourquoi Dieu aurait-il exigé d'Abraham qu'il sacrifie son propre fils pour témoigner de sa loyauté ?*

- *Pourquoi Lot offre-t-il ses deux filles vierges en pâture aux habitants de Sodome en colère ? Et pourquoi ceux-ci les refusent-ils ?*

- *Pourquoi Abraham pratique-t-il l'art divinatoire païen en sacrifiant des animaux ?*

- *Pourquoi Rachel, femme de Jacob, se serait-elle enfuie avec les idoles païennes de son père ?*

- *Pourquoi les douze tribus d'Israël ne portent-elles pas toutes les noms des douze fils de Jacob ?*

Ces questions et bien d'autres auxquelles personne n'a proposé de réponses satisfaisantes laissent depuis toujours le néophyte perplexe.

Mais l'histoire n'est-elle pas toujours vécue, rapportée et enseignée de façon bien différente par l'oppresseur ou l'opprimé, le croyant ou l'incroyant, le nationaliste ou le mondialiste, même si chacun s'efforce d'être le plus honnête possible ? En ce qui concerne la Bible, force est d'admettre que nos schèmes de pensée sont teintés, voire occultés, par des millénaires d'endoctrinement qui ne nous ont tout simplement pas permis de contester la lecture qui nous en a été faite.

C'est ainsi que personne n'ose véritablement remettre en question l'image d'Abraham, cet humble berger gardant paisiblement ses moutons avec qui Dieu décide de faire alliance. Mais pour qu'une lignée de «rois dominants» ait pu lui succéder, ne serait-il pas plus logique de voir en Abraham un homme déjà puissant ?

- *Lors de son séjour en Égypte, Abraham est reçu avec égard chez Pharaon (Gn 12:14).*

- *Le roi Abimélec craint Abraham : il lui offre des présents et l'invite à s'installer sur ses terres (Gn 20:14).*

- *Abraham poursuit quatre rois avec une armée de plus de trois cents hommes (Gn 14:14).*

- *Abraham achète la caverne de Macpéla pour plusieurs kilos d'argent (Gn 23:14).*

Ces gestes ne sont pas ceux d'un simple berger, mais d'un homme puissant, diplomate et fin négociateur auquel on témoigne un respect évident.

Un autre paradoxe encore plus étrange se cache dans le texte de la guerre des Rois (Gn 14) qui peut se résumer ainsi :

Au terme d'une servitude de douze ans imposée par un roi lointain, les citoyens de Sodome se révoltent. Trois autres rois viennent lui prêter main-forte pour les mâter et faire un exemple : ils pillent la ville et s'enfuient avec ses habitants dont fait partie Lot, le neveu d'Abraham. En apprenant que ce dernier a été fait captif, Abraham se lance à leurs trousses, les défait et récupère le butin volé et les personnes.

On s'attendrait à ce que les rois cherchent à se venger, mais contre toute attente, c'est «Dieu» qui détruira la ville (Gn 19) sous prétexte que ses lois ne sont pas respectées, mais seulement après avoir pris soin de faire alliance avec Abraham (Gn 15). Pourquoi Dieu paraît-il si partial? Car si les gens de Sodome refusent de se soumettre, le reste du récit démontre qu'ils savent témoigner de la gratitude envers Abraham. Celui-ci cherche même à raisonner Dieu pour qu'il les épargne.

Les multiples noms de Dieu

Nous croyons que les textes de la Genèse recèlent des informations insoupçonnées sur l'origine des religions monothéistes et que la clé de l'énigme s'y trouve en filigrane. Pour s'en convaincre, il convient de s'interroger sur l'origine des termes «Yahvé» et «Élohim», les deux noms les plus courants qui désignent Dieu dans le Pentateuque.[12] En français, on a coutume de traduire Yahvé par «l'Éternel» et Élohim par «Dieu».[13] La théorie JEDP de Julius Wellhausen (1844 à 1918 EC), qui fait toujours référence, explique l'utilisation de ces deux termes par le fait que le Pentateuque a sans doute été compilé par des copistes d'origines différentes, certains provenant du nord de Canaan où on vénérait Élohim, et d'autres de Judée où on lui préférait le nom de Yahvé.[14] Bien que boiteuse, cette théorie fait autorité depuis plus

---

12   En réalité, on en dénombre davantage, comme El Schaddaï, El-Elion, etc., mais ils sont beaucoup moins utilisés.

13   Nous faisons ici référence au Pentateuque, donc à l'Ancien Testament. En anglais, Yahvé est traduit par «Lord».

14   L'hypothèse documentaire popularisée par Wellhausen soutient que les textes du Pentateuque proviennent de quatre sources distinctes: le document Jahviste (J), le document Élohiste (E), le Deutéronome (D), et le document sacerdotal (P pour prêtre).

de cent ans. Et si certains exégètes s'inscrivent en faux contre cette interprétation, on continue d'y faire largement référence, même dans les ouvrages respectés les plus récents. Or, si cette théorie s'applique à de nombreux textes de la Bible, elle n'explique pas tout car les deux termes se retrouvent souvent au sein d'une même phrase.

Comment ces textes pourraient-ils être d'une origine différente si des passages dits «élohistes» font partie intégrante de la trame du texte «yahvéiste»? À notre avis, Wellhausen commet l'erreur d'épouser le dogme sans le remettre en question. Comme les spécialistes s'accordent à situer l'histoire d'Abraham au Bronze moyen, il faut se replonger dans le contexte social de cette époque pour saisir l'esprit dans lequel le récit des Patriarches évolue. À cette époque, les notions même de «dieu», de «demi-dieu», et de «seigneur» sont des concepts flous qui s'appliquent aussi bien aux divinités qu'aux hommes de pouvoir. Ils n'avaient donc pas la signification qu'on leur donne aujourd'hui.

Pourquoi les appellations «Élohim» et «Yahvé» ne feraient-elles pas référence à deux entités distinctes plutôt qu'à un dieu unique comme on nous l'a toujours enseigné? Abraham semble effectivement entretenir une relation de proximité beaucoup plus physique avec Yahvé : il le voit, lui parle et mange avec lui. En revanche, il s'adresse à Élohim en des termes empreints de spiritualité. Ce dernier ne serait-il pas un dieu païen et Yahvé un roi puissant ayant confié à Abraham l'administration des terres de Canaan? La «nouvelle» religion d'Abraham ne serait alors qu'un mythe apparu beaucoup plus tard, issu d'une mauvaise compréhension des textes d'origine et d'une chronologie erronée. Telle est la thèse que nous développerons dans le présent essai.

Évidemment, cette suggestion nous force à admettre que le «Yahvé» d'Abraham n'avait rien de divin et qu'il n'était en fait qu'un homme de pouvoir. Pourtant, après plus de 3 500 ans, on n'arrive toujours pas à expliquer pourquoi et comment Abraham s'est converti au monothéisme. Au mieux, certains suggèrent qu'en observant les siens, il a eu le pressentiment profond qu'il devait y avoir un dieu suprême, et que ce dieu devait être unique.[15] Pourtant, ces mêmes exégètes n'arrivent pas à s'entendre sur l'historicité des documents qui composent le Pentateuque, ni sur la manière dont, en quelques siècles seulement, la religion de Yahvé a pu supplanter les religions païennes de l'époque dont les pratiques étaient ancestrales. Plusieurs doutent que les sources datent de l'époque de Moïse ou d'Abraham et croient plutôt qu'il s'agirait d'un amalgame de traditions orales et d'écrits rapportés, transcrits et colligés au fil du temps.

Nous allons plutôt démontrer que, sans ce curieux mélange, il nous serait impossible de découvrir la vérité. Le lecteur s'apercevra par lui-même que cet exercice n'aurait pu avoir lieu si les sources du récit d'Abraham ne nous avaient pas été transmises aussi fidèlement.[16] Nous croyons qu'il y a eu une volonté manifeste de transmettre le récit authentique et que les sources datent, pour l'essentiel, de l'époque d'Abraham. Hormis quelques erreurs de transcription et d'ajouts ponctuels, elles nous sont parvenues avec une fidélité remarquable. Il s'agit de textes «sacrés» que nul n'aurait osé transformer sans raison valable; d'ailleurs, il est beaucoup plus facile de recopier textuellement un texte que de le modifier. Les erreurs et les ajouts dont ils ont été victimes apparaissent plutôt comme ayant été causés par une détérioration du matériel source qui a rendu certains passages indéchiffrables. Laissé à lui-même, le copiste devait les interpréter au mieux de ses connaissances. En explorant cette faille, nous montrerons que l'interprétation que l'on a faite des écrits n'a pas suffisamment tenu compte du contexte historique.

---

15   Theophilus Goldridge Pinches, *The Old Testament In the Light of the Historical Records and Legends of Assyria and Babylonia*, Elibron Classics, 2002, p. 198

16   Il aurait effectivement été impossible d'effectuer ce travail à partir des sources du Coran ou du Livre de Mormon, car ces livres ont été «inspirés» aux prophètes.

En appliquant sciemment à la relecture du Pentateuque une distinction entre les termes «Yahvé», le suzerain, et «Élohim», le dieu païen, le texte apparaît beaucoup plus clair et de nombreux paradoxes s'estompent. Très révélateur, l'exercice transforme la Genèse en archives historiques fascinantes :

> *Après l'attaque de Sodome et les revers qu'Abraham vient de lui faire subir, un suzerain (Yahvé) comprend qu'il est dans son intérêt de s'allier avec lui plutôt que de le combattre. Il l'installe comme gouverneur de la région de Canaan et lui promet cette terre en échange de son allégeance, du respect et de l'application de ses lois. Mais comme Abraham n'a pour toute descendance qu'Ismaël, le fils d'une servante égyptienne, il devient primordial de désigner un fils plus légitime comme héritier. Cependant, Abraham ne peut avoir d'enfant avec sa femme Sarah qui est aussi sa demi-sœur. C'est donc le suzerain lui-même qui se chargera de concevoir Isaac pour assurer la descendance et préserver le pouvoir au sein de la dynastie.[17]*

Toutefois, le verset de la Genèse Gn 22:2 où Yahvé demande à Abraham de lui témoigner sa loyauté en lui sacrifiant son fils Isaac vient remettre en question cette nouvelle interprétation. Car si Isaac est vraiment le fils de ce suzerain-seigneur destiné à hériter de la terre promise, il est inconcevable que ce même suzerain exige d'Abraham qu'il le sacrifie! Ce test de loyauté ne peut donc être destiné qu'à son demi-frère Ismaël, celui-ci représentant bel et bien un rival potentiel pour Isaac, le nouveau fils légitime.

Quelqu'un a-t-il déjà soumis l'hypothèse que le fils désigné pour le sacrifice ne serait pas Isaac, mais plutôt Ismaël? Oui. Une bonne partie des croyants de la terre s'oppose précisément sur ce point aux juifs et aux chrétiens. En effet, pour les musulmans, c'est Ismaël, et non Isaac, qu'Abraham accepte de sacrifier! Cette opposition tend à accréditer notre thèse.

---

17   Voir Chapitres Genèse Gn 14 à 21

À la recherche du Seigneur

Comme aucune preuve historique de l'existence d'Abraham n'a été retrouvée en dehors des textes bibliques, comment identifier le mystérieux personnage de «Yahvé» parmi tous les hommes de pouvoir qui ont vécu au tournant du IIe millénaire dans la région du Croissant fertile? Certains chercheurs soutiennent même que les Patriarches n'ont jamais existé. Mais si de très nombreux rois, conquérants et autres figures marquantes ont façonné cette région du monde tout au long des millénaires, les plus insignifiants ont sombré dans l'oubli, ne laissant derrière eux que très peu d'artefacts. Seuls les plus grands, ceux qui ont marqué l'imaginaire ou qui se sont préoccupés de laisser derrière eux des monuments et des écrits à leur gloire se sont assuré une place au panthéon universel. Et compte tenu de l'influence significative que ce «seigneur» a eue sur Abraham et ses descendants, il ne serait pas surprenant que «Yahvé» se révèle précisément être l'une de ces personnalités marquantes. Si tel était le cas, les preuves devraient être nombreuses et irréfutables. C'est ce que notre recherche va s'employer à mettre au jour.

Pour arriver à mettre un nom sur ce «seigneur», il faut d'abord chercher à mieux saisir l'identité d'Abraham. L'image de nomade berger vivant sous la tente et voyageant dans le désert est enracinée profondément dans la mémoire collective: il est donc fort à parier qu'elle prend sa source dans une certaine réalité. Mais que sait-on de ces peuples qui habitaient la «Terre promise» au tournant du IIe millénaire? Leur religion, leur culture et leurs lois étaient-elles compatibles avec celles des Patriarches? Comment l'exercice du pouvoir s'est-il développé dans ces régions? Comment un homme tel qu'Abraham aurait-il pu être désigné gouverneur de Canaan, dans quelles conditions et par qui?

Une meilleure compréhension de la dynamique des États et de l'histoire du Moyen-Orient s'impose. Voyons tout d'abord quel était le contexte culturel à l'époque où ont vécu les Patriarches. La Genèse laisse entendre qu'ils étaient des nomades habitant Canaan et qu'ils se déplaçaient à l'occasion en Égypte et en Mésopotamie. Elle offre en outre quelques informations sur la culture, les lois et les rites religieux pratiqués à l'époque. En se basant sur les nombreux artefacts retrouvés lors de fouilles archéologiques, les spécialistes ont établi le cadre général de cette époque au Bronze moyen (2000 à 1500). Ils peuvent en effet les comparer avec les Écrits et ultimement, par un jeu de recoupements et de suppositions, il devient possible de dresser un tableau, précis dans certains cas, flou dans d'autres.

L'histoire que raconte la Bible débute il y a environ 6 000 ans au jardin d'Éden.[18] Si les spécialistes n'arrivent pas à s'entendre sur l'emplacement exact de ce «paradis terrestre», ils le situent plus volontiers en Mésopotamie, au confluent du Tigre et de l'Euphrate, dans la région de Sumer, là où émergèrent les premières civilisations. Le passage de la nomadisation à la sédentarisation de l'homme correspond bien au mythe du jardin d'Éden, car la transition d'un mode de vie à l'autre marque le début d'une nouvelle ère.

Le thème de la Création, déjà récurrent il y a quatre mille ans, fait partie intégrante des questions que l'homme se pose depuis toujours. Il est donc tout à fait normal que l'histoire de la Genèse s'en inspire. Effectivement, dans les premiers chapitres de la Genèse, certains passages ne sont pas sans rappeler ceux des textes anciens fort connus de l'«Enûma Eliš» qui racontent l'histoire de la création du monde selon les Babyloniens.[19] La date de sa rédaction demeure inconnue. On sait seulement qu'il a été rédigé dans sa forme finale au plus tard au XIIe siècle AEC. Mais le concept de la création qu'il met de l'avant est beaucoup plus ancien, car il est déjà présent près d'un millénaire plus tôt.

---

18   Une lecture littérale des Écrits permet de reconstituer la généalogie depuis Jésus jusqu'à Adam et Ève. Cette généalogie s'étend sur environ 4 000 ans.

19   Jean Bottéro, S.N.Kramer, *Lorsque les dieux faisaient l'homme*, Gallimard, 1989

La séquence de la création qui y est décrite ressemble à celle de la Genèse : la lumière fait place à l'obscurité ; les masses d'eau et les continents se forment ; les végétaux, les animaux et finalement l'homme apparaissent.

Est-il vraiment surprenant que l'origine de la vie soit expliquée de façon si semblable dans presque toutes les cultures ? Cette conception résulte fort probablement du développement de l'agriculture et de l'observation de ce que l'on désigne aujourd'hui par le vocable « *chaîne alimentaire* » : l'homme prend conscience qu'il ne peut exister que si les plantes, l'eau et le soleil l'ont précédé sur cette terre.

L'eau et la lumière demeurent les seuls éléments sur lesquels l'homme n'a pas d'emprise. Si la lumière obéit à un cycle régulier et prévisible, il n'en va pas de même de la pluie dont l'homme est entièrement tributaire pour sa survie. Cette pluie, dont il ignore le cycle évaporation-condensation, semble « tomber comme par magie » du ciel ; il s'imagine naturellement qu'un être supérieur en exerce le contrôle. Qu'ils se nomment Baal, Hadad, Thor, ou Teshub, ces « dieux de la pluie » occupent une place centrale dans le panthéon de toutes les sociétés qui vivent dans les plaines et les régions montagneuses. Ils contribuent à remplir le grenier des hommes qui cherchent à rester dans leurs bonnes grâces pour mériter leurs faveurs.[20]

La ville d'Ur, où est né Abraham, èst située non loin de ce jardin mythique. Toutefois, l'histoire d'Abraham se déroule essentiellement sur les terres de Canaan, dans le Levant. Cette région est située entre deux empires géants de l'Ancien Orient : l'Égypte et la Mésopotamie. La zone géographique qui englobe ces trois régions est le *Croissant fertile*.

---

20   Alberto Ravinell Whitney Green, *The Storm-god in the Ancient Near East*, Eisenbrauns, 2003, p. 10

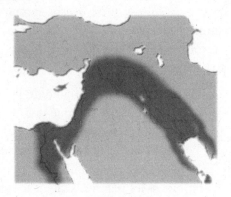

3: Le Croissant fertile

Les écrits montrent qu'Abraham entretient une relation soutenue avec l'Égypte et ses pharaons. On pourrait donc se demander si le seigneur d'Abraham ne serait pas un pharaon égyptien.

En effet, des auteurs comme Ralph Ellis, Tom Harpur, Christopher Knight, Robert Lomas, Ahmed Osman, Charles Pope – et même le célèbre Sigmund Freud –, proposent des théories originales qui relient Abraham aux pharaons.

Il est aussi vrai que bien des pharaons ont sublimé leur autorité en se déifiant pour s'immortaliser. En outre, certains ont été, sans conteste, de fameux conquérants : Thutmose III s'est même emparé de la région d'Israël et de Canaan. Toutefois, l'histoire, l'époque, la culture et la religion égyptiennes sont très différentes de celles des Patriarches. Seuls les pharaons hyksôs, étrangers en terre égyptienne, semblent avoir un véritable lien culturel et historique avec eux. Malheureusement, les informations disponibles ne permettent pas de comprendre clairement d'où provenaient ces fameux Hyksôs. Mais c'est essentiellement parce qu'ils ne remettent pas en question la nature «divine» du dieu d'Abraham, qu'à notre avis, ces auteurs font fausse route.

Étendue jusqu'aux limites de la Mésopotamie, notre sphère de recherche révèle bien plus de similitudes avec la culture et l'histoire des Patriarches. L'histoire de ces peuples, leur religion, ainsi que les lois de cette région semblent en parfaite harmonie avec les faits relatés dans la Genèse. Car si Abraham est perçu par les monothéistes comme le père de leur religion, le présent ouvrage soutient qu'il adhère plutôt naturellement aux coutumes religieuses de son époque. Bon nombre de rites païens paraissent en effet incohérents et paradoxaux dans le contexte d'une religion monothéiste. En revanche, ils semblent parfaitement intégrés au mode de vie de l'époque et des lieux dès qu'on établit une distinction entre la relation de vassal qu'Abraham entretient envers son suzerain-seigneur Yahvé et son rôle de grand prêtre païen du dieu Élohim. Il est même surprenant de voir à quel point la religion pratiquée par Abraham s'en trouve reléguée au second plan, laissant toute la place au récit d'un gouverneur qui remplit ses fonctions avec sérieux, résignation et diplomatie.

À partir de ces informations, nous allons maintenant construire une nouvelle grille d'interprétation et aborder notre recherche en deux étapes. Dans un premier temps, l'étude sommaire du Levant, de l'Égypte et de la Mésopotamie montrera que les textes de la Genèse ne sont pas d'inspiration divine, mais qu'ils s'insèrent tout naturellement dans les jalons qui ont marqué l'histoire des habitants de cette région. Enrichie de ce bagage historique, la relecture de la Genèse pourra alors véritablement s'amorcer et montrer que la relation qu'Abraham entretient avec Yahvé est effectivement une relation de vassal à suzerain. Cette relation permettra non seulement de confirmer les motivations de chacun d'eux, mais aussi de démontrer que ce seigneur était une figure connue de l'Antiquité.

– 2 –

Le Levant

L e Levant est cette vaste région qui s'étend sur toute la côte
méditerranéenne depuis l'Égypte au sud jusqu'à la pointe
de l'Euphrate au nord. Sous-région du Proche-Orient, le Levant
englobe Israël, la Palestine, la Jordanie, le Liban ainsi que la Syrie
moderne.

Aux confins de la terre promise

Canaan est la zone côtière du Levant qui borde la Méditerranée.
C'est là que s'installent les Patriarches et que se déroule l'essentiel du récit de leur vie. C'est également le territoire où
s'implantera finalement Israël. Point de passage obligé des voies
de communication entre deux grandes puissances, cette région
revêt une importance stratégique et historique considérable. Que
ce soit pour la guerre ou le commerce, il faut passer par Canaan
pour aller d'Égypte en Mésopotamie et réciproquement.[21]

---

21   Niels Peter Lemche, *The Canaanites and Their Land: The Tradition of the Canaanites*, Continuum International Publishing Group, 1991, p. 154

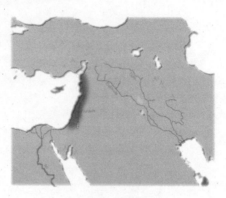

4: Région de Canaan

Dès le troisième millénaire, on retrouve les traces d'une population d'origine sémitique qui se sédentarise dans la région. Ce sont les premiers «Cananéens». Profitant d'une agriculture florissante, ils fondent plusieurs villes. Au tournant du IIe millénaire, une nouvelle vague d'envahisseurs sémites, les nomades amorrites vont s'imposer dans la région.[22] Le peuple «Amurru» est identifié sur des tablettes cunéiformes akkadiennes datant de 2400.[23] C'est le début d'une période trouble au cours de laquelle leurs attaques successives et leurs fréquents contacts avec les populations locales leur permettent d'assimiler ce mode de vie et de se sédentariser graduellement. En se mêlant aux populations locales, les Amorrites donneront graduellement naissance à diverses souches tardives. Aujourd'hui, ils sont considérés non seulement comme les ancêtres des Araméens, mais aussi des Phéniciens, des Chaldéens, des Hébreux, des Hyksôs et des Israéliens, bref de la majorité des peuples qui occuperont le territoire de Canaan.

---

22   «amorrite», *Encyclopædia Britannica 2008*
       Sophie Cluzan, *De Sumer à Canaan*, Éditions du Seuil, 2005, p. 31

23   Claus Westermann, John J. Scullion, *Genesis 12-36*, Fortress Press, 1985, p. 64
       Marc Van de Mieroop, *A History of the Ancient Near East, Ca. 3000-323 BC*, Blackwell Publishing, 2004, p. 82

Il importe d'abord de confirmer l'origine ethnique d'Abraham. Car pour sceller une telle alliance, il est probable que son «seigneur» était de la même culture, du même clan, voire de la même famille que lui. Les écrits de la Genèse fournissent quantité de renseignements utiles sur le mode de vie des Patriarches. Ils indiquent notamment qu'Abraham était un nomade «araméen» – comme Jésus –, terme qu'il importe de ne pas confondre avec amoréen (Amorrites). Le profil culturel de ce peuple est hérité de celui des Amorrites et des néo-Hittites qui prennent le contrôle de la région de Canaan entre le XIVe et XIIe siècle AEC. Curieusement, on ne trouve aucune mention des Araméens avant cette époque tardive. Il n'en demeure pas moins que l'origine de leur présence est connue et se confond avec celle des Amorrites. L'analyse des textes de la Genèse démontre à quel point l'histoire des Patriarches est fidèle à celle de ce peuple nomade qui s'est sédentarisé et a eu une influence considérable sur le destin de la Mésopotamie, du Levant et de l'Égypte.

Le passage suivant de la guerre des Rois témoigne des liens étroits qu'Abraham entretient avec les Amorrites (Amoréens) :

Gn 14:13 Et un homme, qui était échappé, vint et le rapporta à Abram[24], *l'Hébreu, qui demeurait auprès des chênes de Mamré,* **l'Amoréen,** *frère d'Eshcol et frère d'Aner :* **ceux-ci étaient alliés d'Abram.**

Lorsqu'Isaac est en âge de prendre femme, son père Abraham fait prêter serment à son serviteur afin qu'il aille chercher une épouse de son clan. Si Béthuel, père de la future épouse, était araméen, son oncle Abraham devait l'être également.[25]

Gn 24:4 mais tu iras dans mon pays et vers ma parenté, et tu prendras une femme pour mon fils, pour Isaac.

---

24   «Abram» prendra le nom d'«Abraham» après avoir conclu l'Alliance, et sa femme «Saraï» deviendra «Sarah».

25   Béthuel est le fils de Nakhor, frère d'Abraham (Gn 22:20-22).

*Gn 25:20 Isaac était âgé de quarante ans lorsqu'il prit pour femme Rebecca, **fille de Bethuel l'Araméen**, de Paddan-Aram, sœur de Laban l'Araméen.*

Le Deutéronome confirme également les origines d'Abraham :

*Deut 26:5 Tu prendras encore la parole, et tu diras devant Yahvé, ton Élohim : **Mon père était un Araméen nomade ;** il descendit en Égypte avec peu de gens, et il y fixa son séjour ; là, il devint une nation grande, puissante et nombreuse.*

On peut donc conclure que les Patriarches sont effectivement des Araméens d'origine amorrite. Sans doute conviendrait-il de s'attarder davantage à cette démonstration s'il n'y avait pas déjà unanimité sur le sujet.

Les idoles d'Abraham

Mais quelle religion pratiquaient ces Amorrites ? On nous apprend qu'Abraham est le père des religions monothéistes modernes. Mais contrairement à Moïse qui fut très explicite en matière de détails sacerdotaux, la Genèse n'offre que très peu d'informations sur la pratique religieuse monothéiste d'Abraham. Cela n'est pas surprenant, car le quiproquo sur l'identité de Yahvé ne survient que beaucoup plus tard. À l'époque d'Abraham, nous prétendons qu'il n'y avait aucune confusion : la seule religion pratiquée était la religion païenne d'Ougarit, comme en témoignent toutes les recherches archéologiques qui font ressortir une activité religieuse importante. La ville d'Ougarit relie le bassin méditerranéen à la Mésopotamie. C'est une capitale importante qui connaît son apogée au Bronze moyen alors qu'elle est sous le contrôle des Amorrites.

Les informations qui suivent prouvent qu'à l'instar de ses contemporains, Abraham ne percevait nullement son seigneur-Yahvé comme un dieu au sens spirituel. Comment pourrait-il en être autrement ? La nature de Yahvé trahit sa véritable identité. Tout au long de la Genèse, Abraham entretient avec lui une relation d'homme à homme. Seuls les textes dits « élohistes » nous donnent un aperçu de la véritable religion pratiquée par les Patriarches. Dès que cette prémisse est posée, il devient possible de mettre en relation les textes bibliques avec les pratiques connues de l'époque. Apparaissent alors les éléments d'une religion parfaitement cohérente qui n'a strictement rien à voir avec l'image classique que l'on se fait du père d'une religion «révolutionnaire».

Dans son *Histoire ancienne d'Israël: Des origines à l'installation en Canaan,* le Père Roland de Vaux, véritable référence en la matière, souligne une correspondance marquée entre le récit des Patriarches et la période du Bronze moyen en Canaan.[26] Il illustre très bien la dualité de cette période où le mode de vie citadin coexiste encore avec le mode de vie nomade. Cependant, comme tant d'autres avant lui, le père de Vaux accepte le dogme sans le remettre en question.

Cette dualité sociale et religieuse repose sur un mélange de concepts liés au nomadisme, juxtaposés à un ensemble de rites païens célébrés envers les dieux locaux. De toute évidence, et sans doute comme tout bon nomade, Abraham est d'abord influencé par les valeurs de son clan, puis par celles des peuples qu'il côtoie. Et si chaque localité dans l'Antiquité vénère son propre dieu, la religion nomade traditionnelle ne peut reposer sur des dieux locaux, car les nomades se déplacent constamment. C'est plutôt en évoquant la mémoire du «dieu de son père» et en se révélant ainsi à son ancêtre que le fils nomade reconnaît sa filiation. Comme le souligne Mircea Eliade dans *Histoire des croyances et des idées religieuses*, il s'agit d'un concept primitif, celui du dieu de l'ancêtre immédiat, particulièrement bien adapté à ce mode de vie.[27] Cette pratique a cours encore aujourd'hui. Qui n'a jamais invoqué le nom d'un être cher disparu? Et il n'est pas rare de voir

---

26   Roland de Vaux, *Histoire ancienne d'Israel. Des origines à l'installation en Canaan,* Lecoffre, 1971

27   Mircea Eliade, *A history of religious ideas,* University of Chicago Press, 1978, p. 172

des gens s'en remettre à l'esprit de leurs morts et de leurs ancêtres pour les protéger et veiller sur eux.

La religion des nomades accorde une plus grande importance aux idoles. Celles-ci matérialisent en quelque sorte les «dieux» qu'ils peuvent alors transporter lors des déplacements.

Ésaïe 46:1 Bel s'écroule, Nebo tombe; **On met leurs idoles sur des animaux, sur des bêtes; Vous les portiez, et les voilà chargées,** *Devenues un fardeau pour l'animal fatigué!*

Le Talmud[28] prétend que Térakh, le père d'Abraham, vénérait douze divinités, une pour chacun des mois de l'année.[29] Bien entendu, on oppose les croyances de Térakh à celles de son fils. Pourtant, rien dans les textes de la Genèse ne laisse entendre que tel fut le cas. Ces affirmations n'apparaissent que beaucoup plus tard, lorsque les rabbins cherchent à interpréter les Écrits: ils étudient les textes et la tradition orale, et attribuent aux Patriarches une quantité d'intentions qui n'apparaissent nulle part dans le Pentateuque, pas même en sous-entendus. C'est ainsi que le Talmud, de même que le Coran[30] rédigé encore plus tard, prétendent qu'Abraham est offensé par le culte des idoles.

Le mot hébreu «théraphim» se retrouve plus d'une douzaine de fois dans la Bible. On le traduit généralement par «idoles». Le passage dans lequel Rachel vole les théraphim de

---

28 Le Talmud est un recueil des préceptes et des enseignements des grands rabbins dont l'élaboration s'étend de 200 AEC à 500 EC. La Michna, texte de base du Talmud fondé sur les traditions juives, a été rédigée au début du IIIᵉ siècle EC. La Guemara, rédigée à la fin du Vᵉ siècle EC éclaire et commente la Michna. L'ensemble Michna/Guemara constitue le Talmud. Pour plus de détails, voir *The Jewish Encyclopedia*, Funk and Wagnalls, 1906

29 Theophilus Goldridge Pinches, *The Old Testament In the Light of the Historical Records and Legends of Assyria and Babylonia*, Elibron Classics, 2002, p. 198

30 Qur'an Sourates 21:51-70

son père démontre à quel point ces «idoles» revêtent une grande importance pour les Patriarches:

Gn 31:19 Et Laban était allé tondre son menu bétail, et Rachel **vola les théraphim qui étaient à son père.**

Jacob réclame même la peine de mort pour le voleur d'idoles[31].

Gn 31:32 **Qu'il ne vive pas, celui auprès de qui tu trouveras tes Élohim!** *Devant nos frères reconnais ce qui est à toi chez moi, et prends-le. Or Jacob ne savait pas que Rachel les avait volés.*

Et lorsque Laban s'adresse à Jacob, il ne reconnaît pas un dieu unique, mais plutôt le dieu lié à la mémoire des ancêtres de la famille de Jacob:

Gn 31:29 J'ai en ma main le pouvoir de vous faire du mal; mais **l'Élohim de votre père** *m'a parlé la nuit passée, disant: Garde-toi de parler à Jacob, ni en bien, ni en mal.*

Il est clair que cette représentation théologique contraste avec celle de dieux locaux. Mais, en côtoyant les populations sédentaires, les Patriarches ont naturellement vécu dans cette dualité religieuse.

Dans la Genèse, les Patriarches étaient clairement reconnus pour lire les astres et interpréter les rêves, comme en témoignent ici les passages concernant Joseph:

Gn 40:8 Et (les officiers du Pharaon) lui dirent: Nous avons songé un songe, et il n'y a personne pour l'interpréter. Et Joseph leur dit: **Les interprétations ne sont-elles pas à Élohim? Je vous prie, contez-moi vos songes.**

...

Gn 41:15 **Et le Pharaon dit à Joseph:** *J'ai songé un songe, et il n'y a personne pour l'interpréter; et* **j'ai entendu dire de toi que tu comprends un songe** *pour l'interpréter.*

...

---

31   «theraphim», *The Jewish Encyclopedia*, Funk and Wagnalls, 1906, p. 108

*Gn 44:15 Et **Joseph leur dit**: Quelle action avez-vous faite?*
Ne savez-vous pas qu'un homme tel que moi sait deviner?

Ces quelques passages s'inscrivent parfaitement dans le cadre de religions païennes. Le récit des Patriarches a été interprété au fil du temps par les autorités religieuses qui s'emploient, depuis Moïse, à condamner les rites païens, précisément dans le but de promouvoir la religion de Yavhé.

Comme l'agriculture de Canaan dépend beaucoup de la pluie, les dieux cananéens habitent naturellement le ciel d'où ils peuvent donner ou refuser ce bienfait céleste, créateur de vie ou de mort. À ce sujet, le site d'Ougarit offre une abondante documentation sous forme de tablettes cunéiformes. Ces textes datent du XIVᵉ et XIIᵉ siècle AEC et bien que la grande majorité d'entre eux soient de nature plutôt littéraire, certains décrivent des rituels, des textes d'offrande et des mythes qui présentent de nombreux parallèles avec des passages de l'Ancien Testament.

Le «Cycle de Baal» est un texte mythologique célèbre d'Ougarit rédigé au XIVᵉ siècle AEC.[32] Comme pour bien d'autres documents retrouvés, le concept existait probablement depuis fort longtemps. Il décrit Baal comme le fils d'El. C'est le dieu des orages et des tempêtes qui règne sur Ougarit avec sa sœur Anath, déesse de la fertilité, aussi connue sous les noms d'Ishtar, d'Astarte et de Zaparnit. Baal est généralement représenté par un veau, ou un taureau, dont les cornes apparaissent sur ses nombreuses représentations. Le culte se célèbre au sommet des montagnes, de préférence sous les pins. On cherche à se rapprocher des cieux par des offrandes de la terre et des sacrifices exécutés sur un autel. Découvert à Guézer, un des sites les plus fouillés de Palestine, le Haut-lieu est un endroit surélevé qui se prête bien au culte. On y a mis à jour des ossements de jeunes enfants, peut-être victimes du sacrifice du nouveau-né qui rappelle le sacrifice demandé à Abraham. Cette ville s'est développée considérablement à

---

32   John C.L. Gibson, *Canaanite Myths and Legends*. T & T Clark Ltd, 1977

l'époque du Bronze moyen car des traces importantes de la civilisation amorrite y ont été retrouvées. Des vestiges de sacrifices humains similaires mis à jour à Taanach et à Megiddo confirment que la pratique était répandue à cette époque.[33]

Rédigé beaucoup plus tard, à l'époque où les habitants de Jérusalem furent emmenés en captivité, le texte qui suit condamne cette pratique :

> *Jérémie 7:31* **Ils ont bâti des hauts lieux à Topheth** *dans la vallée de Ben Hinnom,* **Pour brûler au feu leurs fils et leurs filles** *: Ce que je n'avais point ordonné, Ce qui ne m'était point venu à la pensée.*

Craigie et Wilson décrivent également le «Rituel de la fertilité» qui consistait en l'union «sacrée» des sexes de l'homme et de la femme.[34] Elle avait pour but d'emmagasiner l'énergie qui assurerait le renouveau et la stabilité de la fécondité des récoltes ainsi que de la reproduction animale et humaine. Des découvertes archéologiques en Canaan auraient mis à jour des temples renfermant des pièces où se déroulaient des pratiques sexuelles. On y a également trouvé plusieurs représentations de déesses de la fertilité. Et bien que ces rites aient été fort répandus, ils seront néanmoins combattus avec force par Israël, car ils contreviennent aux commandements de Dieu.

Le culte de la fertilité paraît manifeste dans le passage qui suit :

> *Gn 49:25 De là est le berger, la pierre d'Israël : du Élohim de ton père, et il t'aidera; et du Tout-Puissant, et il te bénira des bénédictions des cieux en haut, des bénédictions de l'abîme qui est en bas,* **des bénédictions des mamelles et de la matrice***.*

---

33   H. Vincent, *Canaan d'après l'exploration récente*, Paris, 1907
Avner Falk, *A Psychoanalytic History of the Jews*, Fairleigh Dickinson Univ Press, 1996, p. 13

34   Geoffrey W. Bromiley, *The International Standard Bible Encyclopedia*, Eerdmans Publishing, 1995, p. 101

Les exemples d'offrandes évoqués dans les premiers chapitres de la Genèse sont éloquents :

*Gn 4:3 Et il arriva, au bout de quelque temps, que Caïn apporta, du fruit du sol, **une offrande à Élohim**.*

*Gn 4:4 Et Abel apporta, lui aussi, **des premiers-nés de son troupeau, et de leur graisse**. Et Yahvé eut égard à Abel et à son offrande ;*

Gn 4:5 mais à Caïn et à son offrande, il n'eut pas égard. Et Caïn fut très irrité, et son visage fut abattu.

Sont également révélateurs les sacrifices et l'art divinatoire…

Gn 15:9 Et il lui dit : Prends une génisse de trois ans, et une chèvre de trois ans, et un bélier de trois ans, et une tourterelle, et un jeune pigeon.

Gn 15:10 Et il prit toutes ces choses, et les partagea par le milieu, et en mit les moitiés l'une vis-à-vis de l'autre ; mais il ne partagea pas les oiseaux.

Gn 15:11 Et les oiseaux de proie descendirent sur ces bêtes mortes ; et Abram les écarta.

… le plus souvent pratiqués sur une montagne :

*Gn 22:2 Et il dit : Me voici. Et Élohim dit : Prends ton fils, ton unique, celui que tu aimes, Isaac, et va-t'en au pays de Morija, et là offre-le en holocauste, **sur une des montagnes** que je te dirai.*

Examiné dans le contexte historique du Bronze moyen, ces quelques versets témoignent d'une parfaite cohérence avec les coutumes religieuses de l'époque. C'est pourquoi on se heurte inéluctablement à un exercice futile lorsqu'on essaie de les interpréter et de les rationaliser dans le contexte d'une «nouvelle» religion monothéiste ; d'où les vifs débats qui se perpétuent autour de leur interprétation.

De nombreux chercheurs ont souligné les ressemblances entre les mœurs décrites dans les témoignages historiques et certains passages du Pentateuque. S'ils n'ont pu s'en tenir qu'à des « ressemblances », c'est qu'ils ont été incapables de dissocier « Yahvé » d' « Élohim ». Les nombreuses références à Yahvé viennent en effet brouiller les cartes, car en fusionnant ces termes, on perd de vue que la religion d'Élohim est en parfaite harmonie avec les rites païens de l'époque.

5: Bronze – Dynastie d'Ur

Les archives de Nuzi (dans le Mitanni) qui datent du XVe siècle AEC nous livrent des témoignages essentiels concernant les coutumes amorrites de l'époque. On y décrit une société dans laquelle des enfants esclaves adoptés peuvent servir de descendance à un couple stérile. Une autre coutume consiste à présenter une esclave à un homme dont la femme est stérile, comme l'histoire d'Hagar dans la Bible (Gn 16:1-4 ; 30:1-13). L'ambiguïté relative aux droits de succession résultant de ces unions est décrite dans les documents de cette période.

Tous ces éléments culturels démontrent que le profil des Patriarches correspond bel et bien à celui des Amorrites qui vivaient dans la région de Canaan au tournant du IIᵉ millénaire et vénéraient des déités locales telles qu'Anath, El et Baal.

Mais la notion même de « dieu » doit se comprendre dans un contexte historique, à une époque où l'on ne pouvait expliquer les phénomènes physiques et météorologiques complexes.

Les dieux s'en chargeaient par la voix des prêtres et des oracles, détenteurs du privilège de leur parler et d'invoquer leur miséricorde.

Yahvé ou Baal ?

En plus du sens qu'on lui attribue généralement, Baal est également un titre honorifique signifiant tout simplement « maître » ou « propriétaire ».[35] Il s'adresse autant à une divinité qu'à un homme de pouvoir. Il désigne donc aussi bien un dieu qu'un suzerain ou même un époux. L'usage de ce terme confirme l'ambiguïté qui peut exister entre les statuts de « dieu », « demi-dieu » et « homme de pouvoir ».

Rédigés plusieurs centaines d'années après ceux de la Genèse, les textes de l'Exode nous apprennent que Dieu n'était pas connu sous le nom de « Yahvé » du temps d'Abraham :

> *Ex 6:3 Je suis apparu à Abraham, à Isaac et à Jacob, comme l'« Élohim » tout puissant ;* **mais je n'ai pas été connu d'eux sous mon nom, « Yahvé ».**

---

35   T. K. Cheyne, J. Sutherland Black, *Encyclopedia Biblica*, Vol. 1, The Macmillan Company, 1899, p. 40 et Ulf Oldenburg, *The Conflict between El and Ba'al in Canaanite Religion*, Leiden: E. J. Brill, 1969, p. 58.

En confirmant qu'Abraham ne connaît pas «Yahvé», l'auteur indique clairement qu'il a substitué ce nom, accréditant ainsi la thèse voulant qu'une mauvaise interprétation des sources soit à la base de l'énigme à résoudre. Puisque le terme «Yahvé» n'apparaît pas dans les textes originaux, émettons l'hypothèse que le nom donné par Abraham à son seigneur ait été «Baal» (plutôt que «Yahvé»). «Baal» est en effet le nom attribué au dieu des Amorrites, mais il est également une marque de respect signifiant «maître» ou «seigneur».[36] «Yahvé» et «Baal» ont donc une signification presque identique et le sens du texte n'en est pas affecté.

Donc, au lieu d'écrire :

*Gn 15:18 « **Yahvé» fit alliance avec Abraham** et dit: Je donne ce pays à ta postérité, depuis le fleuve d'Égypte jusqu'au grand fleuve Euphrate.*

l'auteur aurait tout aussi bien pu «transcrire» :

*Gn 15:18 « **Baal» fit alliance avec Abraham** et dit: Je donne ce pays à ta postérité, depuis le fleuve d'Égypte jusqu'au grand fleuve Euphrate.*

Ce changement de nom s'imposera quelques siècles plus tard, lorsqu'on cherchera à instituer le nouveau culte de Yahvé en le dissociant de la culture païenne traditionnelle. L'exemple de la fabrication du Veau d'Or dans le récit de l'Exode est très significatif, car il correspond précisément à ce culte de Baal qui sera dès lors fortement condamné :

*Ex 32:2 **Aaron leur dit:** Otez les anneaux d'or qui sont aux oreilles de vos femmes, de vos fils et de vos filles, et apportez-les-moi.*

---

36 S'adresser à Dieu en l'appelant «Seigneur» risque de faire oublier le sens premier de «seigneur»: homme noble, maître

Ex 32:3 Et tous ôtèrent les anneaux d'or qui étaient à leurs oreilles, et ils les apportèrent à Aaron.

*Ex 32:4 Il les reçut de leurs mains, jeta l'or dans un moule, et **fit un veau en fonte**. Et ils dirent: Israël! **voici ton Élohim**, qui t'a fait sortir du pays d'Égypte.*

Ex 32:5 Lorsqu'Aaron vit cela, il bâtit un autel devant lui, et il s'écria: Demain, il y aura fête en l'honneur de Yahvé!

Lorsqu'on sait qu'Aaron n'est nul autre que le frère de Moïse et qu'il va hériter de la prêtrise à la mort de ce dernier, on saisit davantage l'immense défi que représente l'imposition d'une nouvelle religion sur un peuple et la nécessité d'éliminer toute source de confusion.

Mais si «Baal» fait alliance avec Abraham en échange d'un territoire immense, on est évidemment en droit de se poser la question: «De quel Baal s'agit-il, qui est le seigneur auquel s'adresse Abraham?».

En reconnaissant que le titre de «Baal» s'applique aux souverains exerçant le pouvoir, il est facile de comprendre qu'ils se sont ainsi nommés pendant plusieurs générations. Il ne faut donc pas chercher à associer ce terme à une seule personne, mais plutôt à une dynastie de souverains.

Les Amorrites nomades partageaient le pouvoir avec les membres de la même famille et du même clan et les alliances étaient courantes entre rois voisins. Celles-ci consistaient généralement à marier une fille ou un fils avec un membre de l'autre clan dans le but de sceller le pacte et de garantir son respect.

Pour qu'un conquérant puisse conclure avec Abraham une alliance englobant la majeure partie du Levant, il devait forcément être en mesure de s'imposer par la force. D'un point de vue stratégique, il devait donc disposer d'une armée stationnée à proximité, prête à intervenir pour légitimer son pouvoir. Il est donc raisonnable d'orienter les recherches vers l'une ou l'autre des deux grandes puissances limitrophes, soit la Mésopotamie ou l'Égypte. Ces régions ont effectivement connu de grands personnages qui ont conquis de vastes et puissants empires. Certains de ces conquérants étaient-ils amorrites ou entretenaient-ils des liens étroits avec ceux-ci ? Ce questionnement limite notre champ d'investigation.

Quelles étaient les deux grandes puissances de cette région du monde et leur rayonnement au plan géopolitique ?

– 3 –

L'Égypte

On en connaît beaucoup plus sur l'Égypte que sur le Levant ou la Mésopotamie grâce aux nombreuses fouilles archéologiques. Inscriptions, documents, pyramides, momies, tombeaux et publications ont contribué à diffuser l'histoire de ce peuple. Les Égyptiens nous ont légué d'innombrables témoignages de leur richesse culturelle et du développement de leur société. À bien des égards, la civilisation égyptienne fut l'une des plus respectables du monde antique, aucune autre civilisation n'ayant su atteindre puis conserver un tel niveau de stabilité durant trois millénaires.

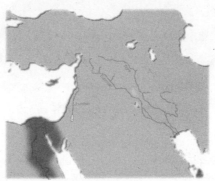

6: L'Égypte

C'est au contact de la civilisation sumérienne, au quatrième millénaire, que l'Égypte s'éveille réellement. Elle acquiert l'écriture et maîtrise la technique de construction en briques d'argile.[37] Par la suite, elle développe une culture locale très riche ainsi qu'une forme d'art particulière qui l'identifie toujours. Cet art omniprésent est réaliste, riche et ordonné. Il reflète l'importance sociale, politique et religieuse de l'époque. Il exprime des idées au moyen de symboles (hiéroglyphes).

Le riche Delta du Nil

Contrairement aux habitants de Mésopotamie qui ont dû entreprendre d'importants travaux d'irrigation, les Égyptiens bénéficient des crues annuelles du Nil pour enrichir leurs cultures. Ce limon naturel qui fertilise les terres a contribué à prémunir la population contre les famines et à lui procurer l'abondance dont ont aussi profité les nombreux peuples des régions limitrophes. Les terres de la région du Delta sont particulièrement riches et favorisent des cultures abondantes.

7: La pyramide à degrés de Djéser

---

37   Bien que les plus anciennes traces d'écriture proviennent toujours de Mésopotamie, les plus récentes découvertes archéologiques réduisent l'écart connu entre les hiéroglyphes égyptiens et les plus anciennes tablettes cunéiformes sumériennes.

Comme l'accès à l'eau n'est pas un souci quotidien pour la majorité des Égyptiens, ils n'accordent naturellement pas la même importance que les autres peuples aux dieux de la pluie.

La première pyramide est érigée pour le roi Djéser par l'architecte Imhotep vers 2600. C'est en fait un mastaba à plusieurs étages — une pyramide à degrés. Ces immenses constructions ne servaient que de complexe funéraire aux souverains de l'Ancien Empire. Il est clair que ces « nouvelles » structures vont influencer la construction des ziggourats en Mésopotamie. Les ancêtres d'Abraham amorceront leur migration du Levant vers la Mésopotamie précisément à l'époque où y sont érigées les premières ziggourats.

Les souverains égyptiens exercent un remarquable ascendant sur le peuple car ils jouiraient d'un pouvoir particulier transmis par le divin dans le cycle mythique d'Horus et Osiris. Selon la tradition, Osiris est un roi légendaire qui gouverne l'Égypte avec justice et dynamisme.[38] Jaloux de son succès, son frère Seth sort vainqueur d'une grande bataille au terme de laquelle il le tue. Mais Isis, la femme d'Osiris, réussit à concevoir un enfant avec Osiris en usant de magie sur le corps inerte de son époux.[39] Après avoir enterré Osiris, elle trouve refuge dans le Delta où elle enfantera un fils, Horus. À sa maturité, celui-ci décide de venger son père en défiant son oncle. Seth lui arrache un œil, mais le combat se poursuit et Horus finit par triompher. Il retrouve son œil, puis l'offre à Osiris qui retrouve la vie. Celui-ci transmet alors à son fils le droit de gouverner.

Tout nouveau roi d'Égypte prend ainsi le pouvoir à la mort de son père lors d'une cérémonie qui reproduit le cycle d'Osiris. Le nouveau roi devient Horus, alors que son père décédé incarne désormais Osiris en prenant place dans le firmament. Pendant

---

38   Mircea Eliade, *A history of religious ideas*, University of Chicago Press, 1978, p. 97

39   Shahrukh Husain, *The Goddess: Power, Sexuality, and the Feminine Divine*, University of Michigan Press, 2003, p. 86

plusieurs millénaires, ce cycle légitimera le pouvoir royal et assurera une stabilité peu commune dans la région.

L'histoire de l'Égypte ancienne se divise en plusieurs grandes étapes. Celle qui nous intéresse s'étend du Moyen Empire au Nouvel Empire, en passant par la Deuxième période intermédiaire, où l'on situe généralement les Patriarches.

Le Moyen Empire

À cette époque (XXe – XVIIIe siècle AEC), l'Égypte est constituée de la Haute Égypte et de la Basse Égypte qui débouche sur le Delta et la Méditerranée. Zone de passage obligée reliant l'Afrique au Proche-Orient, elle donne accès aux ressources précieuses des pays lointains.

Bien qu'il y ait eu quelques tentatives antérieures, c'est Montouhotep II, roi de la XIe Dynastie (XXe siècle AEC) qui réussit la réunification de ces deux territoires après de nombreuses campagnes militaires entreprises au cours des trente premières années de son règne.[40] Mais une fois l'unification achevée, la Basse Égypte est délaissée par les pharaons du Moyen Empire qui préfèrent régner à partir de Thèbes, en Haute Égypte.

Les populations nomades amorrites commencent alors à s'installer dans la région du Delta où elles créent plusieurs agglomérations. Avaris devient une ville importante qui en profite pour étendre son influence.

Le terme «pharaon» – en égyptien «per aâ» – signifie *grande maison* en référence à l'unification des deux terres. Ce terme ne fait son apparition qu'au Nouvel Empire, donc après l'histoire des Patriarches. Mais au Moyen Empire, le «roi d'Égypte» est déjà plus qu'un simple roi : c'est un dieu et un fils de dieu.

---

40   Dominique Valbelle, *Histoire de L'Etat Pharaonique*, Presses universitaires de France, 1998, p. 127

Le célèbre papyrus I.344 du musée de Leyde, daté de la Deuxième période intermédiaire, et mieux connu sous le nom d'Admonitions de Ipuwer – du nom du scribe qui le rédige – énumère des plaies très semblables à celles que Moïse inflige à Pharaon dans les textes de l'Exode. Bien qu'il ne soit pas possible de relier directement les deux textes, ils font sans doute référence aux cataclysmes naturels résultant de l'explosion du mont Théra, une des plus grandes éruptions volcaniques que la terre ait connue. Parmi les cataclysmes énumérés au recto, on retrouve les correspondances suivantes :

Cataclysmes	Exode	Papyrus I.344
L'eau des rivières qui se change en sang	7 : 20	II.10
Les cultures en péril	9:31, 10:15	VI.3, VI.1
Les troupeaux menacés	9:3	V.6
Le feu et la grêle qui dévastent le territoire	9:23	II.11
L'obscurité en plein jour	10:22	IX.11
De très nombreux morts	12:30	II.3, IV.4 , VI.16
Tous les habitants se lamentent	12:30	III.14

Dans *Le Roi-Dieu et le Dieu-Roi dans l'Égypte ancienne*, le professeur Jan Zandee montre que Amon-Rê et le pharaon sont présentés à la fois comme roi et dieu.[41] Les passages VI.3, VI.10 et VIII.1 du verso sont très révélateurs :

VI.3 Seigneur des dieux

*VI.10 Louange à toi, Horus des Horus, régent des régents, puissance des puissances, grands des grands (l'aîné), prince de l'éternité, seigneurs des seigneurs, **dieu des dieux, roi des rois de l'Égypte du Sud, roi des rois de l'Égypte du Nord.***

---

41   J. Zandee, *Le Roi-Dieu et le Dieu-Roi dans l'Égypte ancienne*, Numen, Vol. 3, Fasc. 3 (Sep. , 1956), BRILL, p. 230

VIII.1 quant à la royauté, de laquelle la fin n'existe point. Aux jubilés nombreux pendant des années innombrables; il règne dans les siècles des siècles. [42]

Cette conception du «dieu vivant» date de l'Ancien empire (Ve Dynastie – XXVIe – XXIVe siècle AEC) et correspond particulièrement bien au qualificatif que l'on serait en droit d'attribuer au suzerain d'Abraham. En effet, pourquoi le seigneur d'Abraham ne serait-il pas un dieu «vivant»?

La Deuxième période intermédiaire

Au tournant du IIe millénaire (XVIIIe – XVIe siècle AEC), un grand nombre d'étrangers transitent par le territoire égyptien et occupent les terres situées à l'embouchure du Delta, en Basse Égypte.

Peut-être par laxisme, les Égyptiens n'exercent pas un contrôle très ferme sur leurs frontières. Ces étrangers profitent de l'affaiblissement du pouvoir central pour s'imposer progressivement. Le terme «hyksôs» désigne toute la population qui a vécu en Basse Égypte à la fin du Moyen Empire et durant la Deuxième période intermédiaire.

L'origine sémitique de leurs noms et les fouilles archéologiques effectuées dans la ville d'Avaris indiquent que les Hyksôs sont vraisemblablement des Amorrites descendus de Canaan qui ont graduellement pris possession des terres qu'ils occupaient déjà.

Il est intéressant de noter que, dans toute l'histoire de l'Égypte, les Hyksôs furent les seuls envahisseurs étrangers qui réussirent à prendre le pouvoir.

---

42   Alan Henderson Gardiner, *The Admonitions of an Egyptian Sage from a Hieratic Papyrus in Leiden* (pap. Leiden 344 recto), Georg Olms Verlag, 1990

La controverse amorcée par Josèphe Flavius[43] à propos de l'origine du terme «hyksôs» perdure, bien que la plupart des historiens modernes aient adopté sa position.[44]

On nommait l'ensemble de cette nation Hycsôs, c'est-à-dire «rois pasteurs». Car «hyc» dans la langue sacrée signifie roi, et «sôs» veut dire pasteur au singulier et au pluriel dans la langue vulgaire; la réunion de ces mots forme Hycsôs. D'aucuns prétendent qu'ils étaient arabes. Une autre interprétation veut que l'expression «hyc» ne signifie pas «roi», mais au contraire «bergers captifs». Car «hyc», en égyptien, et «hac», avec une aspirée, auraient proprement le sens tout opposé de captifs.[45]

L'expression «bergers captifs» que Flavius propose ici correspond davantage à l'image des enfants d'Israël qu'il voyait dans ces hommes. Par ailleurs, il soutient que les Égyptiens contemporains des Hyksôs désignaient ces derniers par «héqa khasout», ce qui signifie «roi de pays étrangers».

Pour Manéthon de Sebennytos, prêtre égyptien et historien qui a vécu au IIIe siècle AEC, les Hyksôs sont des barbares qui ont pillé l'Égypte. Mais les quelques vestiges historiques qui nous sont parvenus montrent un peuple beaucoup plus soucieux d'absorber et de préserver les connaissances et la culture égyptienne que de les rejeter. Il semble que ce soit plutôt les Égyptiens qui aient dénigré les Hyksôs pour oublier un passé peu glorieux.

Forts de nouvelles armes (haches, dagues de fer et chars tirés par des chevaux), les Hyksôs commencent à exercer un pouvoir local vers 1730. Au sommet de leur puissance, même le souverain

---

43 Général romain juif devenu historien au Ier siècle **EC**. Depuis longtemps disparus, les écrits de Manéthon ne nous sont connus que par Flavius.

44 Avner Falk, *A Psychoanalytic History of the Jews*, Fairleigh Dickinson Univ Press, 1996, p. 53

45 Josèphe Flavius, *Contre Apion*, traduit par René Harmand, Publications de la Société des études juives, 1900-1932

de la Haute Égypte leur est soumis. Ils conservent le pouvoir jusqu'à ce que les pharaons de la XVIIᵉ dynastie, Séquénenrê Taâ II et Kamosé, les chassent d'Égypte.

Pour Flavius, ces Hyksôs sont les ancêtres des Hébreux. De nombreux auteurs sont ainsi intrigués par la correspondance phonétique et historique entre le roi hyksôs Yakub-her et le Jacob biblique.[46] Jacob séjourne en Égypte à la même époque et il y occupe un poste sans doute important. Et si l'on accepte que les Patriarches et les Hyksôs étaient amorrites, et donc de souche commune, la spéculation va bon train.

À court de preuves

Nul doute que ces informations convergent vers une origine égyptienne du Seigneur d'Abraham et offrent d'intéressantes perspectives dans l'optique qui nous intéresse : on sait en effet que des rois amorrites – les Hyksôs – ont séjourné en Égypte au XVIIIᵉ siècle AEC et ont adopté les coutumes locales. Malheureusement, ces « preuves » ne sont que circonstancielles. Aucun autre élément ne permet d'affirmer qu'un de ces rois égyptiens ait eu suffisamment d'emprise sur la région pour pouvoir offrir à Abraham le contrôle de Canaan.

Si de nombreux auteurs tels que Freud, Jacq et Sabbah ont souligné les ressemblances entre la religion monothéiste du pharaon « hérétique » Akhénaton et celle de Moïse, il faut se souvenir que ces deux personnages ont vécu quelques siècles après les Patriarches. Dans le cadre de notre approche, leur histoire offre donc peu d'intérêt.

---

46   Dans « Hiram Key », Christopher Knight et Robert Lomas présentent une théorie intéressante sur les liens qui pourraient exister entre les Hyksôs et les Patriarches. Voir également le documentaire « *The Exodus Decoded* » de Simcha Jacobovici

– 4 –

La Mésopotamie

L a Mésopotamie (du grec μεσο ποταμός «entre les fleuves»)
se situe à l'extrémité est du Croissant fertile, plus précisément
entre l'Euphrate et le Tigre. Pour l'essentiel, cette région correspond à l'Iraq moderne. Les anthropologues l'appellent le berceau de
la civilisation, l'endroit où a eu lieu l'une des plus extraordinaires
révolutions connues de l'humanité.

Le berceau de la civilisation

C'est effectivement entre 12500 et 7500 que les hommes ont
commencé à se regrouper en petites communautés. L'agriculture
s'est développée en complément de la cueillette, de la chasse et de
la pêche. Dans *Guns, Germs, and Steel*, Jared Diamond explique
fort bien pourquoi certaines espèces animales sont plus propices
à l'élevage que d'autres.[47] Il nous apprend aussi comment, des
quatorze espèces qui ont été domestiquées, les cinq les plus aptes
à l'élevage – la chèvre, le mouton, la vache, le porc et le cheval
– se retrouvaient naturellement dans le Croissant fertile. Cette

---

47   Jared Diamond, *Guns, germs, and steel*, W.W. Norton & Company, 1999,
      p. 158

abondance d'espèces candidates a contribué largement à faciliter la transition vers le nouveau mode de vie.

Avec la sédentarisation, les campements vont se transformer et donner naissance aux premières cultures, puis aux premières villes. L'apparition de la poterie et de la métallurgie est le point de départ de la spécialisation et de la création de nombreux métiers. D'importants travaux d'irrigation seront entrepris dès 6000 pour améliorer la fertilité naturelle de la région.

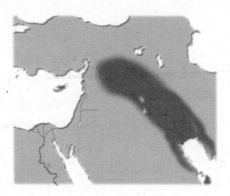

8: La Mésopotamie

L'écriture se développe en Mésopotamie aux environs de 3000. Les Sumériens sont les premiers à graver des symboles cunéiformes sur des tablettes d'argile humide à l'aide de roseaux taillés. La fonction première de l'écriture est purement administrative : il s'agit essentiellement de comptabiliser les biens du royaume et d'en faire l'inventaire. Il faut donc définir un système de représentation numérique et d'identification des objets. Mais rapidement, on s'aperçoit de la valeur de cette nouvelle forme de « mémoire » qui peut également servir de support au développement de la culture. Les premiers ouvrages littéraires connus remontent naturellement à cette époque. Si, dans le passé, les histoires se racontaient oralement, avec l'écriture, la forme littéraire s'établit. La science de la généalogie prend également forme à cette époque, comme en témoigne la liste des rois de la IIIe dynastie d'Ur.

L'écriture a également une dimension magique et initiatique, car elle permet d'imposer un nom, une politique, voire une démarche religieuse en la «fixant pour l'éternité».[48] Mais à cette époque, rares sont ceux qui savent déchiffrer un message sur tablette d'argile. «Révélée» par le scribe à la manière de l'oracle interprétant le songe, l'écriture cunéiforme devait susciter intérêt et curiosité. Elle était naturellement l'apanage des rois, des prêtres, des bien-nantis et des initiés.

Mais la révolution capitale restait encore à venir. À cette époque, la Mésopotamie – comme presque toutes les régions du monde – est occupée par une multitude de petites «cités-États» qui s'étendent rarement au-delà de la ville. La raison en est fort simple: il est compliqué pour un conquérant de gérer et d'organiser un territoire beaucoup plus vaste. En effet, comment diriger et rendre des comptes à distance sans disposer de moyens pour transmettre rapidement les ordres et les rapports? L'apparition de l'écriture va donc ouvrir la porte à la conquête de véritables empires. À partir de sa «cité-État», un conquérant pourra étendre son territoire. Ces conquêtes donneront naissance aux empires sumérien, akkadien, babylonien et assyrien. Avec l'aide de l'écriture, une nouvelle étape dans l'évolution de l'humanité sera donc franchie.

La *Liste des rois sumériens*, ancien texte cunéiforme, nous a apporté des informations précieuses sur la chronologie de ces royaumes.

Si la similitude entre les récits bibliques et les textes sumériens antérieurs connus surprend, c'est que la Bible raconte véritablement l'aventure du peuple hébreu.

---

48   Dominique Simonnet, *Pascal Vernus: «Graver le nom du roi, c'était le rendre immortel»*, L'Express, publié le 13 juillet 2006

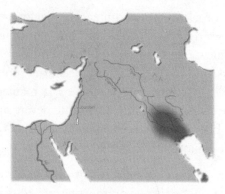

9: L'empire sumérien

Le Déluge retrouvé

Dans la Bible, le récit du Déluge est celui qui précède immédiatement celui d'Abraham. Dieu demande à Noé de construire une arche immense et d'y faire monter un couple de chaque espèce vivante pour les sauver d'un terrible déluge qui va inonder toute la terre pendant plusieurs semaines. Comme la généalogie de Bible remonte jusqu'à Adam et Ève, elle nous présente naturellement Abraham comme un descendant de Noé.

Une version de ce récit, antérieure à celui de la Bible, fut révélée au monde moderne le 3 décembre 1872 EC par le jeune assyriologue britannique George Smith devant la *Society of Biblical Archaeology* de Londres. Smith avait réussi à traduire ce texte sumérien – un extrait de «L'épopée de Gilgamesh» – à partir de tablettes d'argile vieilles de 3 700 ans. Ces tablettes avaient été découvertes quelques années plus tôt par Henry Laylard au palais de Ninive, mais personne avant Smith n'avait su les déchiffrer.[49] L'histoire avait sombré dans l'oubli et il était le premier à redécouvrir ce texte, après quelque 2 000 ans:[50]

---

49 Le palais de Ninive d'Assurbanipal (669 – 627) se situe sur la rive est du Tigre, dans le nord de la Mésopotamie.

50 Stéphane Foucart, *Gilgamesh l'immortel,* Le Monde, publié le 13 juillet 2007 David Damrosch, *The Buried Book: The Loss and Rediscovery of the Great Epic of Gilgamesh,* Macmillan, 2007, p. 5

*« Homme de Shouroupak, fils d'Oubar-Toutou, détruis ta maison, **construis un bateau**, abandonne les richesses, cherche la vie sauve, fais fi des biens, conserve vivant le souffle de vie **en faisant embarquer dans le bateau toute semence de vie**. Ce bateau que toi tu devras construire, que ses dimensions en soient bien mesurées, qu'égales en soient la largeur et la longueur, et couvre le comme est couvert l'Absou. »*[51]

On dénombre aujourd'hui plus de 200 fragments de tablettes cunéiformes offrant de légères variantes sur le récit. Seuls changent le nom du héros et certains détails. La même histoire y est rapportée sous des noms divers. À Sumer, vers 1700, c'est celle de Ziusudra; à Akkad, vers 1600, celle d'Athrasis; et finalement, à Babylone, vers 1200, lorsque la ville est sous le contrôle des Assyriens, l'épopée de Gilgamesh prend la forme qu'on lui connaît. Souvent présentée comme le premier best-seller connu de l'humanité, elle décrit le stéréotype de l'homme qui ne veut pas mourir, un thème récurrent dans cette région du monde tout au long de l'Antiquité.

*« Je suis celui que vous nommez Gilgamesh. Je suis le pèlerin de toutes les routes du Pays et d'au-delà le Pays. Je suis celui à qui toutes choses ont été révélées, vérités dissimulées, mystères de la vie et de la mort, et de la mort surtout. J'ai connu Inanna dans le lit du Mariage sacré; j'ai terrassé des démons et je me suis entretenu avec les dieux; **je suis dieu moi-même aux deux tiers, un tiers homme** seulement. »*[52]

Dans la plupart des textes découverts, le nom de Gilgamesh est accompagné du déterminant en forme d'étoile que les Sumériens avaient l'habitude d'accoler aux êtres divins, le ✳ Dingir.[53] Et bien

---

51 Jean Bottéro, *L'épopée de Gilgamesh: Le grand homme qui ne voulait pas mourir*, Gallimard, 1992

52 Ibid.

53 Margaret Whitney Green, *Eridu in Sumerian Literature*, PhD dissertation, University of Chicago, 1975, p. 224

que Gilgamesh ait sans doute été un souverain aux aspirations divines, il semble qu'aucun culte ne lui ait été rendu de son vivant. Il se peut donc que ce déterminant ne lui ait été accolé que tardivement, lorsque le mythe prit véritablement de l'ampleur.

Comme Robert Best en témoigne dans *Noah's Ark and the Ziusudra Epic: Sumerian Origins of the Flood Myth*, de nombreuses comparaisons peuvent être établies entre les récits sur Noé et sur celui de Gilgamesh. Les plus fins détails, tel que le nombre de jours passés sur les flots et l'oiseau qui ne revient pas, annonçant la présence de terre ferme à distance, permettent de conclure que ces deux récits sont intimement liés.[54]

Compte tenu de l'importance et de l'immense popularité de ce récit dans l'imaginaire collectif des sociétés mésopotamiennes de l'époque, on comprend qu'en établissant une filiation entre Noé et Abraham, la Bible légitimise le rôle de Patriarche de ce dernier tout en l'inscrivant dans la continuité historique de cette région.

Le «Seigneur» d'Abraham s'inscrirait-il lui aussi dans cette continuité?

Sargon d'Akkad

L'empire akkadien est le premier véritable empire qui se soit développé en Mésopotamie. La famille d'Abraham étant originaire de la ville d'Ur, ville située non loin d'Akkad, voyons comment cet empire est né, puis s'est développé afin d'établir dans cette démonstration des liens possibles entre les Patriarches et ses conquérants.

---

54   Robert M. Best, *Noah's Ark and the Ziusudra Epic: Sumerian Origins of the Flood Myth*, Enlil Press, 1999

10: Sargon d'Akkad

Même si on ne s'entend pas toujours sur l'aspect historique de Gilgamesh, on ne remet généralement pas en question celui de Sargon d'Akkad (2334 à 2279) qui détient le titre de premier conquérant de Mésopotamie.[55]

Fondateur de la ville d'Akkad (Agade) et de la dynastie akkadienne, Sargon a unifié les régions d'Élam et de Sumer au sud et d'Akkad au nord.

Avec de nouvelles armes de guerre beaucoup plus performantes telles que javelots, arcs et flèches, Sargon d'Akkad réussit à battre la lourde phalange sumérienne et à conquérir un vaste territoire.

Pour parvenir à régner sur un royaume aussi étendu, Sargon établit un système de gestion et de communication efficace, comprenant notamment un réseau de postes avec relais aux 50 km.

---

55   Marc Van de Mieroop, *A History of the Ancient Near East, Ca. 3000-323 BC*, Blackwell Publishing, 2004, p. 60

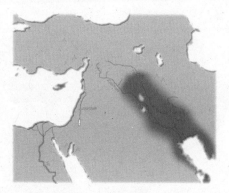

11: L'empire de Sargon d'Akkad

L'histoire veut qu'il fût mis au monde par une mère qui ne pouvait s'occuper de lui. Le découvrant flottant sur le fleuve dans un panier d'osier, un jardinier le recueille et l'élève. Le mythe entourant la naissance de Sargon d'Akkad rappelle de façon frappante celui de Moïse dans l'Exode :

> *Ex 2:3 Ne pouvant plus le cacher, **elle prit une caisse de jonc, qu'elle enduisit de bitume et de poix ; elle y mit l'enfant, et le déposa parmi les roseaux, sur le bord du fleuve**.*

> *Ex 2:5 La fille de Pharaon descendit au fleuve pour se baigner, et ses compagnes se promenèrent le long du fleuve. Elle aperçut la caisse au milieu des roseaux, et elle envoya sa servante pour la prendre.*

Freud soutient qu'il s'agit d'un mythe fondateur visant à légitimer le héros « puisqu'il naît contre le gré de son père et finit par le vaincre[56] ».

Sargon deviendra plus tard échanson du roi de Kish qu'il détrônera avant de soumettre le roi d'Uruk et de conquérir cette ville sumérienne du sud, créant ainsi le premier véritable empire. Il attribue son succès à sa patronne, la déesse Ishtar qui lui aurait conféré la dignité royale.

---

56   Sigmund Freud, *Moise et le monothéisme*, Idées – Gallimard, 1948, p. 15

Si la taille de son royaume fut considérable à bien des égards, il semble que Sargon n'ait pas étendu sa zone d'influence jusqu'au Levant. De plus, son règne se situe bien avant celui d'Abraham. Le mythe entourant la naissance de Moïse confirme, une fois de plus, le lien qui unit la Bible avec l'histoire de cette région.

Sargon est mort à un âge avancé. Ses fils Rimush, puis Manishtushu, lui succèdent. Mais à la mort de ce grand conqué-rant, les troubles surgissent sur tout le territoire et Rimush doit entreprendre une reconquête pour affirmer son pouvoir. Son règne ne dure que neuf ans, mais de nombreuses inscriptions témoi-gnent de batailles épiques, impliquant une armée imposante. Manishtushu succède à son frère et règne une quinzaine d'années ; il poursuit l'œuvre de consolidation militaire et politique entreprise par son frère.

Expansion de l'empire

C'est véritablement Naram-Sin, petit-fils de Sargon, qui marquera de nouveau l'histoire.[57] Après la mort de son père Manishtushu, Naram-Sin détient le pouvoir pendant 36 ans, de 2254 à 2218. Ses talents militaires lui permettent de repousser encore davantage les limites de l'empire akkadien.

Fort d'une assise politique solide et d'exploits militaires remarquables, le maître Naram-Sin rayonne maintenant sur un empire immense qui englobe une grande portion du Croissant fertile. On sait qu'il désignait ses fils comme gouverneurs et ses filles comme prêtresses. Ceux qui l'ont précédé ont sans doute employé une approche similaire.

C'est donc sans fausse modestie que Naram-Sin s'attribue le titre de « Roi des quatre régions ». Il ne semble pas avoir souffert de ce complexe, car il pousse l'audace jusqu'à s'autoproclamer « dieu d'Akkad » et à apposer le signe divin ✳ devant son nom.

---

57   Marc Van de Mieroop, *A History of the Ancient Near East, Ca. 3000-323 BC*, Blackwell Publishing, 2004, p. 61

Si Naram-Sin est le premier souverain de l'histoire de Mésopotamie à se décerner ce titre de son vivant, beaucoup d'autres ont dû apprécier le geste, car cela deviendra rapidement une coutume. Cette nouvelle conception du pouvoir royal sera reprise par les souverains de la IIIe dynastie d'Ur, et plus tard, par bien des familles royales.

12: L'empire de Naram-Sin

Le règne de Naram-Sin se situe toujours en amont de l'époque que l'on attribue généralement à Abraham. Il y a donc très peu de chances qu'il ait pu être son contemporain. Cependant, Naram-Sin ouvre de nouvelles perspectives pour notre recherche. L'étendue de son territoire lui permettrait en effet de conclure une alliance avec son voisin du Levant. Par ailleurs, son titre de dieu autoproclamé ne laisse aucun doute quant à ses ambitions. Ce trait de personnalité narcissique permet aisément de l'imaginer comme un roi mégalomane imbu de pouvoir. Ce profil de «dieu vivant» et ces qualificatifs pourraient en faire un excellent «seigneur».

L'empire en déroute

Si Naram-Sin fut le premier souverain de Mésopotamie à s'autoproclamer «dieu vivant», il fut aussi le dernier grand roi de l'empire akkadien. Les Gutis, peuple tribal nomade provenant des montagnes du Zagros du nord-est, et vraisemblablement ancêtres des Kurdes, font alors leur apparition.[58] Ils pillent les villageois et les voyageurs et terrorisent la population. Ces razzias ont un impact direct sur l'économie de Sumer. Le commerce ralentit, la famine s'installe et l'empire s'effondre.

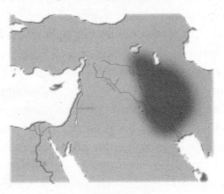

13: L'empire gutis

Les Gutis exercent le contrôle sur ce territoire pendant une centaine d'années. C'est le roi d'Uruk, Utu-hegal, qui réussira à les chasser hors des frontières de l'empire lors de sa victoire contre Tirigan en 2130.

Akkad affaiblie, le centre du pouvoir se déplace désormais vers Sumer, plus au sud. C'est alors qu'Utu-hegal se proclame roi de Sumer. Mais il ne savourera pas longtemps ce succès : il semble qu'une lutte de pouvoir entre les régions d'Uruk et d'Ur soit à l'origine de la montée en puissance de la IIIe dynastie d'Ur. Après huit ans de pouvoir comme gouverneur d'Ur, Ur-Nammu (2112 à 2095) devient le nouveau maître de Sumer.[59]

---

58   Marc Van de Mieroop, *A History of the Ancient Near East, Ca. 3000-323 BC*, Blackwell Publishing, 2004, p. 67

59   Ibid. p. 69

Coïncidant avec l'arrivée de la IIIe dynastie s'ouvre maintenant la période de six cents ans à l'intérieur de laquelle la majorité des historiens situent Abraham, soit entre 2100 et 1500.

Ur-Nammu est un grand homme d'État: non seulement il fonde la IIIe dynastie d'Ur, mais il restaure l'ordre général suite au chaos qui résulte de la période des Gutis. Son legs le plus connu reste sans conteste son fameux code de lois, le *Code d'Ur-Nammu*, qui demeure le plus ancien document juridique connu. Il rappelle les Dix commandements de Moïse. Ur-Nammu entreprend aussi la réfection des routes ainsi que la reconstruction et l'agrandissement de l'un des plus importants temples anciens. On lui attribue également la construction de nombreuses structures à étages, les fameuses ziggourats qui sont à la Mésopotamie ce que les pyramides sont à l'Égypte.[60] Un poème commémore la mort d'Ur-Nammu abandonné par son armée sur le champ de bataille lors d'un affrontement avec les Gutis.

Ces ziggourats comportent de deux à sept étages en retrait l'un sur l'autre, surmontés d'un sanctuaire au sommet. Les prêtres y officient au cours des cérémonies religieuses. Des rampes permettent d'accéder au lieu de culte. Ziggourat signifie d'ailleurs «construire sur une zone élevée».

De nombreuses ziggourats ont été édifiées un peu partout en Mésopotamie. La construction de la ziggourat Etemenanki, qui signifie «Temple du Fondement du Ciel et de la Terre», fut probablement entreprise au XVIIIe siècle AEC car des fondations datant de cette époque ont été mises à jour. Elle comportait sept étages et devait atteindre près de cent mètres de haut. Cet ouvrage impressionnant devait sans nul doute frapper l'imaginaire. L'expression «monter au septième ciel» proviendrait peut-être de cette ziggourat dont le dernier étage permettait à l'homme d'atteindre le ciel.

---

60   «ziggurat», *Encyclopedia Britannica*, 2008

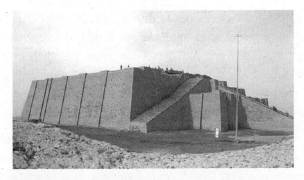

14: Ziggourat de Nanna (2100 à 2050) récemment restaurée

Si l'on admet que Babel et Babylone ne sont qu'une seule et même ville, la «tour de Babel» fait clairement référence à cette ziggourat. De toute façon, aucune autre construction de cette époque ne pouvait rivaliser en hauteur, si ce n'est une autre ziggourat.

*Gn 11:4 Et ils dirent: Allons, **bâtissons-nous** une ville, et **une tour dont le sommet atteigne jusqu'aux cieux**; et faisons-nous un nom, de peur que nous ne soyons dispersés sur la face de toute la terre.*

Gn 11:5 Et Yahvé descendit pour voir la ville et la tour que bâtissaient les fils des hommes.

Gn 11:6 Et Yahvé dit: Voici, c'est un seul peuple, et ils n'ont, eux tous, qu'un seul langage, et ils ont commencé à faire ceci; et maintenant ils ne seront empêchés en rien de ce qu'ils pensent faire.

Gn 11:7 Allons, descendons, et confondons là leur langage, afin qu'ils n'entendent pas le langage l'un de l'autre.

*Gn 11:8 **Et Yahvé les dispersa de là sur la face de toute la terre**; et ils cessèrent de bâtir la ville.*

Gn 11:9 C'est pourquoi on appela son nom Babel, car là Yahvé confondit le langage de toute la terre; et de là Yahvé les dispersa sur la face de toute la terre.

Un texte sumérien de l'Enûma Eliš, traduit par Bottéro et dont nous avons déjà souligné les similitudes avec le mythe de la création, permet de dresser un autre parallèle intéressant avec ce passage de la Bible. Mais dans cet exemple, ce ne sont pas les hommes qui irritent les dieux, mais plutôt leurs propres progénitures :

> «*Leurs nuisances me sont devenues insupportables : je ne peux pas me reposer le jour, et la nuit je ne peux pas dormir. Ils se remuent pour leur compte étant donné que nous, nous n'avons fixé aucune Destinée pour eux. Je les supprimerai et les disperserai! Ainsi nous aurons enfin la paix et nous pourrons dormir.*»[61]

Avec son code de loi et la construction des ziggourats, Ur-Nammu s'inscrit lui aussi dans la longue liste d'hommes qui marquent l'histoire de la Mésopotamie, et donc, celle de la Bible.

Par ailleurs, Ur-Nammu apparaît aussi comme le premier candidat possible au titre de «seigneur d'Abraham» car les deux hommes sont originaires de la même ville et auraient pu vivre à la même époque.

Les Amorrites prennent le pouvoir

Le fils d'Ur-Nammu, Shulgi (2094 à 2047) lui succède et entreprend son règne par une série de guerres punitives contre les Gutis, question de venger la mémoire de son père.[62] Shulgi entame par la suite de nombreux travaux de réfection des routes, le long desquelles il fait construire des lieux de repos où les voyageurs de long chemin peuvent trouver un peu d'eau fraîche et un endroit où se reposer.

Après avoir connu son apogée, l'empire akkadien se retrouve fortement affaibli par les dizaines d'années d'efforts qui

---

61   Jean Bottéro, S.N.Kramer, *Lorsque les dieux faisaient l'homme*, Gallimard, 1989

62   Marc Van de Mieroop, *A History of the Ancient Near East, Ca. 3000-323 BC*, Blackwell Publishing, 2004, p. 73

auront été nécessaires pour repousser l'invasion des Gutis. Il n'y aura pourtant aucun répit, car une nouvelle menace pointe à l'occident. Shulgui érige alors un mur de protection sur la frontière nord-ouest pour se prémunir des nouvelles attaques de tribus nomades amorrites, celles que les Assyriens nomment « Martu ».

Après une vingtaine d'années de règne, il se proclame « dieu » à son tour et fait construire des temples dans lesquels il place des statues à son effigie afin que le peuple puisse venir lui présenter des offrandes. Et bien que ce trait de personnalité puisse faire de lui un autre « suspect » pour notre enquête, il est clair que Shulgi a cherché à se prémunir contre ces premiers Amorrites plutôt qu'à développer une relation de confiance avec eux.

Son frère Shu-Sin lui succède jusqu'en 2029. Il conserve le pouvoir et fait construire une muraille longue de 275 km pour se prémunir contre ces Amorrites. Ceux-ci ont migré du Levant pour s'installer en Mésopotamie. Ils se révéleront être les ancêtres d'Abraham.

C'est durant le règne d'Ibi-Sin (2028 à 2004) que les nomades amorrites réussissent à pénétrer l'enceinte qui protégeait jusque-là les citoyens.[63] Le chaos et la panique s'ensuivent et Ibi-Sin réussit tant bien que mal à maintenir son emprise sur ses provinces.

Profitant de la confusion, les Amorrites finissent par s'établir. Leur condition de nomades n'est sans doute pas étrangère à ce succès. Ils mettent à profit leurs nombreux contacts, ainsi que leur excellente connaissance des territoires, pour consolider graduellement leur pouvoir. Par ailleurs, ils sont déjà très présents en Canaan ainsi que dans le Delta du Nil. À cette époque, l'Égypte jouit d'une culture abondante et connaît un commerce florissant. Les Hautes et les Basses terres sont dirigées par Thèbes,

---

63 Marc Van de Mieroop, *A History of the Ancient Near East, Ca. 3000-323 BC*, Blackwell Publishing, 2004, p. 77

située plus au sud. Bienveillant et accueillant, cet empire ne cherche guère à s'étendre, ni même à se protéger.

Tandis que le pouvoir d'Ur s'affaiblit, celui des Amorrites de Babylone s'affermit, au point où Hammourabi (1792 à 1750), sixième roi de la dynastie de Babylone, réussit à étendre son pouvoir sur l'ensemble de la Mésopotamie et à décrocher ainsi le titre de premier roi de l'empire babylonien.[64]

Le règne de Hammourabi commence en 1792 quand il hérite du trône de son père Sin-Muballit. Comme une majorité de spécialistes estiment qu'Abraham a vécu précisément au XVIIIe siècle AEC, et comme l'histoire des ancêtres de Hammourabi semble correspondre à celle des ancêtres d'Abraham, il convient de s'attarder à ce personnage important de l'histoire de l'Antiquité.

S'agirait-il du « Seigneur » d'Abraham ? Qu'en dit l'histoire ?

Hammourabi consacre ses premières années de règne à améliorer la situation du royaume, notamment en consolidant les fortifications et en construisant de nombreux temples. La correspondance diplomatique de Hammourabi nous permet de comprendre que vers 1767, à la suite d'une série de manœuvres provocatrices destinées à étendre son territoire, son voisin, le roi d'Élam, envahit les plaines rapprochées et élabore un stratagème visant à attiser la rivalité entre les rois de Babylone et de Larsa. Mais ces derniers ne sont pas dupes et concluent rapidement une alliance pour se débarrasser de cette canaille. Malheureusement, Larsa ne tient pas son engagement et Hammourabi est le seul à fournir l'effort militaire requis pour combattre et conquérir le royaume d'Élam. Offusqué par la lâcheté de ce nouvel allié, Hammourabi s'empare de Larsa et, dès 1763, réussit à s'imposer sur l'ensemble du bassin mésopotamien.

---

64   Marc Van de Mieroop, *King Hammurabi of Babylon: A Biography*, Blackwell Publishing, 2005

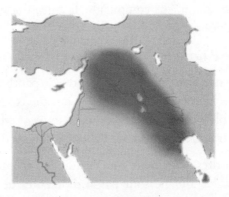

15: L'empire babylonien de Hammourabi

Fort de ces victoires, Hammourabi étend rapidement son influence vers l'ouest jusqu'en Canaan et en Syrie, aidé par la présence de dynasties amorrites qui règnent déjà sur différentes villes de la Mésopotamie et de la Syrie, notamment sur Uruk, Mari et Alep.

Fin stratège militaire et bon diplomate, Hammourabi se révèle être un grand homme d'État. Mais, curieusement, il semble ne mettre à profit ces qualités que vers la fin de son règne.

16: Tête présumée de Hammourabi

Une inscription retrouvée sur une stèle près de Diarbekir concède à Hammourabi le titre de «roi de la terre des Amorrites». Voilà un qualificatif apte à éveiller notre curiosité. Il convient donc de s'attarder à mieux comprendre la culture et notamment la religion pratiquée par ces Babyloniens.

Les dieux de Babylone

Le moins que l'on puisse dire, c'est que le panthéon des dieux babyloniens était bien garni, à l'image des dieux égyptiens. On y dénombre plus d'une vingtaine de divinités.[65] Mais quel lien peut-on établir entre ces dieux de Babylone et ceux du Levant?

Les Amorrites s'adaptent tout naturellement aux pratiques religieuses locales, qui ne sont pas si différentes de celles qu'on retrouve un peu partout dans cette vaste région. La religion les aide dans leur quotidien, essentiellement dans le but d'obtenir les faveurs de la nature.

Mardouk est le dieu principal de la ville de Babylone.[66] Ses origines sont incertaines, mais on sait qu'il fait déjà l'objet d'un culte dès la IIIe dynastie d'Ur. Fils d'Anu et d'Enki, il est souvent désigné simplement par « Bel », équivalent du dieu « Baal » de Canaan. En fait, nombreuses sont les similitudes entre le Mardouk de Babylone et le dieu cananéen Baal. Ce sont tous deux des dieux du chaos et des orages. L'Enûma Eliš nous renseigne sur les caractéristiques de Mardouk:

> *Il leva la massue et mit sur son front l'éclair en même temps que son cœur se remplissait de feu. Avec le filet, le cadeau d'Anu, tenu près de son côté, il s'en alla. **Il créa les ouragans et fit surgir la tourmente diluviale**, tout en montant sur le char-tempête: Imhullu, le vent atroce, la tempête, le tourbillon, l'ouragan, le quadruple-vent et le septuple-vent, le vent le plus mauvais de tous. Chacun des sept vents a été créé et libéré. Abuba, son*

---

65   Alberto Ravinell Whitney Green, *The Storm-god in the Ancient Near East*, Eisenbrauns, 2003, p. 36

66   Henri Frankfort, Samuel Noah Kramer, *Kingship and the Gods: A Study of Ancient Near Eastern Religion as the Integration of Society & Nature*, University of Chicago Press, 1978, p. 321

dernier grand allié, le signal pour l'assaut. Avec le filet, le cadeau d'Anu, tenu près de son côté, il s'en alla.[67]

Ishtar, déesse de la fertilité, est le pendant babylonien de la déesse Astarte décrite dans le chapitre consacré au Levant. Elle occupe aussi une place de choix dans les temples babyloniens. Le dieu Tammuz se sacrifie pour elle en acceptant de séjourner plusieurs mois par année dans les entrailles de la terre en échange de sa libération. Au printemps, agissant en tant que représentant du dieu Tammuz, le roi s'unit dans une relation charnelle sacrée avec Ishtar, elle-même incarnée par la grande prêtresse du temple.

Les concepts religieux de Babylone sont fondamentalement les mêmes que ceux du Levant. Dans les deux cas, la mise en scène du rite de fécondité vise à célébrer et à perpétuer le renouvellement de la vie et des énergies dans la nature et le royaume.

À Babylone, on retrouve les prostituées, ou déesses du temple, qui permettent aux hommes du peuple de solliciter les bonnes grâces des dieux par des relations sexuelles. Il y a également les «favoris» du temple, des prostitués mâles, souvent castrés. L'homosexualité était tolérée.

La fête de Pâques (en anglais *Easter* = *Ishtar*) ne serait qu'une transposition de cette fête païenne célébrée au printemps où les œufs, symbole de vie nouvelle, jouaient déjà un rôle important.[68] Si la date de cette fête reste toujours difficile à calculer, c'est qu'elle est fonction des cycles lunaires, car Ishtar n'est autre que la fille de Sin, dieu de la lune. Hérités de ce lointain passé, ces cycles doivent aujourd'hui être «transposés» dans notre calendrier au moyen de calculs complexes.

Hammourabi est aujourd'hui mieux connu pour son fameux code de loi qui demeure le mieux conservé de l'Antiquité. Rédigé

---

67 Samuel Noah Kramer, *L'Histoire commence à Sumer*, Arthaud, 1956

68 Gertrude Jobes, *Dictionary of Mythology, Folklore and Symbols*, Scarecrow Press, 1962, p. 487

vers 1760, le *Code de Hammourabi* comporte 282 lois régissant différents aspects de la vie sociale.

Hammourabi prétend avoir reçu du dieu Mardouk le pouvoir de régner :

> *Je suis Hammourabi, le roi protecteur. Je ne me suis pas retiré des Hommes, que Bel m'adjugea et* **dont Marduk me donna le gouvernement.**[69]

**17: Hammourabi reçoit bâton
et cordeau de Mardouk**

Sur la partie supérieure de son Code, on le voit qui reçoit les insignes du pouvoir des mains de Mardouk : le bâton et le cordeau.

Comme Sargon d'Akkad et bien d'autres rois qui l'ont précédé, il invoque également la protection de sa maîtresse Zarpanit (Ishtar).

> *Lorsqu'ils liront ce document, qu'ils prient de tout leur cœur Marduk, mon seigneur, et Zarpanit, ma maîtresse ; et alors, les*

---

69 Jean-Vincent Scheil, La *loi de Hammourabi roi de Babylone vers 2000 av. JC.*, E. Leroux, 1904

*divinités et dieux protecteurs qui fréquentent E-Sagil, satisferont miséricordieusement les désirs présentés **devant Marduk, mon seigneur, et Zarpanit, ma maîtresse.**[70]*

Loin de vouloir bousculer les valeurs établies, Hammourabi les adopte et les institutionnalise.

Une culture effervescente

Grâce à leur origine nomade, ces Amorrites – ancêtres potentiels d'Abraham – ont su habilement récupérer et intégrer l'ensemble des valeurs locales. Ils ne traînent pas de lourd bagage culturel, ce qui leur permet d'assimiler la culture locale, de s'enrichir au contact des autres et de contribuer à la mise en valeur des régions.

Mais les Amorrites savent aussi préserver des traits caractéristiques de leurs origines pastorales. Il est intéressant de noter que la notion de «roi berger» s'applique aux souverains de Mésopotamie dès les premiers textes historiques. Selon cette conception d'origine nomade, le roi est le «pasteur» du peuple et il le guide dans ses actions.

Le prologue du Code de Hammourabi qualifie ce roi de «pasteur»:

*Je suis Hammourapi (sic), le **pasteur**, l'élu d'Enlil; (je suis) celui qui entasse opulence et prospérité, celui qui parfait toute chose pour la ville de Nippur...[71]*

...

***Pasteur des peuples**, (je suis) celui dont les œuvres agréent à Istar, celui qui a consolidé Istar dans le temple d'Ulmas, au milieu d'Agadé la capitale...[72]*

et aussi:

---

70   Ibid.

71   André Finet, *Le Code de Hammurabi*, Éditions du Cerf, 1983, p. 32

72   Ibid. p. 42

*... Les grands dieux m'ont nommé, et moi seul je suis le **pasteur salvateur** dont le sceptre est droit. Mon ombre propice est étendue sur ma ville; j'ai serré sur mon sein les gens du pays de Sumer et d'Accad. Grâce à ma Protectrice, ils ont prospéré, je n'ai cessé de les gouverner dans la paix; grâce à ma sagesse, je les ai abrités.*[73]

La controverse amorcée par Flavius vers 94 EC dans *Contre Apion* au sujet de l'origine du nom «hyksôs» s'estompe naturellement. Rappelons que les Hyksôs sont ces rois étrangers d'origine amorrite qui exercent le contrôle sur l'ensemble de l'Égypte au XVII° siècle AEC.

Que l'on traduise hyksôs par «rois pasteurs» ou «bergers captifs» ou que l'on traduise héqa khasout par «roi de pays étrangers», ces différentes interprétations font très clairement référence aux dirigeants amorrites de Babylone, «bergers du peuple».

Un autre élément d'information vient appuyer ce fait. Un cartouche du roi hyksôs Khyan retrouvé sur un site de Babylone témoigne des contacts entre ses habitants et les Hyksôs.[74]

Comme le terme «berger» est un concept culturel amorrite qui fait d'un roi le «berger» de son peuple, il convient de s'interroger sur la véritable nature d'Abraham. Ne devrait-on pas plutôt voir dans ce qualificatif la confirmation de son rôle de guide qui le relie aux dirigeants amorrites de Babylone?

Par-delà les frontières

Si tous ces éléments d'information nous aident à mieux saisir l'esprit dans lequel l'empire babylonien de Hammourabi s'est développé, il nous faut encore comprendre la nature des

---

73   Ibid. p. 136

74   P Mack Crew, I. E. S. Edwards, J. B. Bury, Cyril John Gadd, Nicholas Geoffrey, Lemprière Hammond, E. Sollberger, *The Cambridge Ancient History: C. 1800-1380 B. C.*, Cambridge University Press, 1973, p. 60

liens qui pourraient l'unir aux Patriarches. Ainsi, nous verrons si ces informations militent en faveur de notre thèse voulant qu'Abraham ait lui aussi épousé les valeurs et les dieux de l'époque, contrairement à l'image qu'on nous présente de lui.

La conquête de nouveaux territoires se fait par les armes ou par des alliances avec les rois locaux. D'origine nomade, les Amorrites accordent beaucoup d'importance aux relations personnelles, à l'instar des familles juives. Le pouvoir est partagé entre les membres d'une même famille, ou d'un même clan.

Alors que l'empire sumérien consiste en cités-États indépendantes et autonomes, l'empire babylonien comprend à présent une douzaine de villes, toutes soumises à un monarque investi d'un pouvoir divin. À son apogée, la zone d'influence de Hammourabi s'étend sur l'ensemble du Croissant fertile, de Sumer à la Haute Égypte, en passant par Canaan.

Comme une majorité d'Amorrites occupent déjà ces régions, il est fort probable qu'il n'ait pas eu à s'emparer de Canaan par la force, mais plutôt par des alliances.

Pour maintenir l'ordre et assurer le contrôle de cet immense territoire, l'Empire doit adopter de nouvelles méthodes d'administration : la conscription, la taxation et la centralisation des pouvoirs. Des gouverneurs veillent au respect et à l'application des lois.[75]

---

75 Ronald Cohen, Judith Drick Toland, *State Formation and Political Legitimacy: Political Anthropology*, Transaction Publishers, 1988, p. 97

18: Détails du Code de Hammourabi

Le nouveau code de loi établi par Hammourabi est beaucoup plus sévère envers les coupables que les lois antérieures. Hammourabi est un homme pour qui le respect de la loi et de l'ordre prime sur la vie humaine. Dans son Code de justice, il impose la peine capitale pour des crimes autres que le meurtre, par exemple, pour des délits qui, sous le code d'Ur-Nammu, n'auraient fait l'objet que d'une simple amende.

> *C'est afin que le plus fort ne puisse porter préjudice au plus faible, afin de protéger la veuve et l'orphelin, que j'ai conjugué ces précieux mots qui sont les miens, écrits sur ma pierre funèbre, devant mon image, en tant que roi de Justice.*[76]

Dans son livre *De Sumer à Canaan*, Sophie Cluzan compare plusieurs articles de loi de la Bible avec ceux du Code de Hammourabi. En guise d'ouverture, elle explique :

76   Jean-Vincent Scheil, *La loi de Hammourabi roi de Babylone vers 2000 av. JC.*, E. Leroux, 1904

Les rapprochements entre le Code de Hammurabi (sic) et les textes normatifs de la Bible invitent à souligner l'existence d'une origine commune, vraisemblablement sémitique, une forme de partage de normes communes à l'ensemble de la région et que chaque génération a faites siennes, en les renforçant par les nouvelles données de la pratique.[77]

Cluzan s'attarde ensuite à comparer quelques articles, dont voici un exemple :

Code de Hammourabi (XVIIIe siècle AEC)[78]	Exode (XIIIe siècle AEC)
§ 250. Si un bœuf furieux dans sa course a poussé (des cornes) un homme et l'a tué, cette cause ne comporte pas de réclamation.	Ex 21:28 Si un bœuf frappe de ses cornes un homme ou une femme, et que la mort en soit la suite, le bœuf sera lapidé, sa chair ne sera point mangée, et le maître du bœuf ne sera point puni.
§ 251. Si le bœuf d'un homme, a frappé (souvent) de la corne, lui a fait connaître son vice et s'il n'a pas rogné ses cornes ni entravé son bœuf, si ce bœuf a poussé de la corne un fils d'homme libre et l'a tué, il payera une demi-mine d'argent.	Ex 21:29 Mais si le bœuf était auparavant sujet à frapper, et qu'on en ait averti le maître, qui ne l'a point surveillé, le bœuf sera lapidé, dans le cas où il tuerait un homme ou une femme, et son maître sera puni de mort. Ex 21:30 Si on impose au maître un prix pour le rachat de sa vie, il paiera tout ce qui lui sera imposé. Ex 21:31 Lorsque le bœuf frappera un fils ou une fille, cette loi recevra son application ;
§ 252. Si c'est un esclave d'homme libre, il donnera un tiers de mine d'argent.	Ex 21:32 mais si le bœuf frappe un esclave, homme ou femme, on donnera trente sicles d'argent au maître de l'esclave, et le bœuf sera lapidé.

77 Sophie Cluzan, *De Sumer à Canaan*, Éditions du Seuil, 2005, p. 210

78 Jean-Vincent Scheil, La loi de Hammourabi roi de Babylone vers 2000 av. JC., E. Leroux, 1904

Dans les deux cas, ce sont les mêmes principes généraux qui gouvernent la régulation. L'animal peut avoir posé problème, mais, la première fois, il n'en est pas tenu rigueur à son propriétaire. En revanche, si le propriétaire sait que son animal cause des problèmes mais qu'il n'intervient pas, au premier écart de la part de l'animal, le propriétaire endosse une responsabilité et encourt une peine.[79]

De telles similitudes semblent difficilement être l'objet du hasard.

La conduite de Sarah envers Hagar, l'obtention par Rebecca d'une dot versée par le père du jeune marié, de même que les conditions entourant la vente du tombeau de Macpéla correspondent à l'application de ces lois[80]. On remarque aussi, dans le texte de l'épilogue du Code, un autre parallèle étonnant avec la promesse faite à Abraham dans l'Alliance, une promesse éternelle en contrepartie du respect et de l'application des lois :

*Ils diront alors : «Hammourabi est un souverain qui est comme un père pour ses sujets, qui vénère la parole de Marduk, qui a conquis le nord et le sud au nom de Marduk, qui fait plaisir au cœur de Marduk, son seigneur, **qui a accordé pour l'éternité ses faveurs à ses sujets, et qui a établi l'ordre en son pays**».[81]*

Gravé dans un magnifique bloc de basalte, le Code de Hammourabi peut être admiré aujourd'hui dans le sous-sol du Musée du Louvre. Découvert en Iran au début du siècle dernier, il provient du temple de Sippar de Babylone où il avait été apporté au XIIe siècle AEC par le roi élamite Shutruk-Nahhunte.

---

79   Sophie Cluzan, *De Sumer à Canaan*, Éditions du Seuil, 2005, p. 210

80   Ibid. p. 160

81   Jean-Vincent Scheil, *La loi de Hammourabi roi de Babylone vers 2000 av. JC.*, E. Leroux, 1904

Ayant fait graver son code en multiples copies, Hammourabi les disperse soigneusement dans tout le royaume pour maintenir son emprise sur ces différentes régions.[82] Le babylonien devient la langue officielle commerciale et littéraire de Canaan et des écoles enseignent l'écriture cunéiforme. Les gouverneurs veillent à ce que chaque ville de Canaan paie son juste tribut.

19: Le Code de Hammourabi

Avec leur connaissance des régions, l'unité de leur clan et leurs techniques de guerre avancées, les Amorrites profitent de jeux d'alliances et de trahisons pour étendre leur pouvoir sur l'ensemble de la Mésopotamie, du Levant et de l'Égypte. Le royaume d'Ekallātum offre un bel exemple du type de relation développée par Hammourabi. Lorsque les Élamites attaquent son royaume vers 1765, le roi Ishme-Dagan se réfugie auprès de Hammourabi. Après avoir infligé une défaite aux Élamites, Hammourabi l'aide à reprendre la gouverne de son royaume.

---

82   Theophilus Goldridge Pinches, *The Old Testament In the Light of the Historical Records and Legends of Assyria and Babylonia*, Elibron Classics, 2002, p. 165

Le prix à payer? Ekallātum sera désormais un vassal du roi de Babylone.[83]

Hammourabi semble correspondre assez bien au profil recherché du seigneur d'Abraham: c'est le premier Amorrite exerçant une domination sur l'ensemble de la zone géographique englobant la Mésopotamie et le Levant, et qui est par surcroît l'allié naturel des Hyksôs qui détiennent le pouvoir à la même époque en Égypte. Mais si plusieurs rois apposent le dingir akkadien (⇻) ou sumérien (✻) à leur nom avant lui, il semble que cela n'ait pas été le cas de Hammourabi.

Abraham serait-il donc un vassal de Hammourabi au même titre que les rois des autres peuples qui lui étaient soumis?

Le comput du temps

Pour saisir toute la portée du contexte historique dans lequel Abraham et son «Seigneur» ont vécu, il convient de s'attarder à un autre aspect important de la riche culture mésopotamienne: le comput du temps.

À l'origine, celui-ci servait à prévoir les récoltes et à prédire les événements religieux majeurs. Des artefacts datés du Paléolithique supérieur témoignent que le cycle lunaire était déjà utilisé il y a plus de 10 000 ans pour calculer le temps.[84]

Les Babyloniens ont contribué de manière remarquable à l'essor des mathématiques et de l'astronomie (le calendrier moderne de 365 jours n'est connu que depuis le VIᵉ siècle AEC). Une année se composait de 12 cycles lunaires de 29,5 jours pour un total de 354 jours. Mais comme il manque environ onze jours à l'année lunaire pour conserver un alignement parfait avec le

---

83   N. Ziegler et D. Charpin, *Mari et le Proche-Orient à l'époque amorrite*, Essai d'histoire politique, Paris, 2003.

84   Richard Rudgley, *The Lost Civilizations of the Stone Age*, Simon & Schuster, p. 86

soleil, on ajoutait un mois intercalaire tous les trois ou quatre ans, de la même manière qu'on ajoute aujourd'hui une journée en février dans les années bissextiles.

Le calendrier musulman ou calendrier hégirien (Hijri) est un calendrier lunaire de 354 jours. Il s'utilise toujours en Arabie Saoudite. Toutefois, le Coran interdit expressément le mois intercalaire, car « *Le nombre de mois, auprès d'Allah, est de douze* » (Sourate 9 :36)

À l'époque de Hammourabi, il n'existait aucune référence absolue. Le temps était relatif aux nombres d'années de règne d'un souverain. Par exemple, on notait qu'un événement était survenu la 15ᵉ année du règne de Hammourabi. Évidemment, cette référence n'était valide que pour un endroit donné. Ailleurs, le temps se calculait autrement, chaque région, voire chaque ville, ayant sa propre façon de l'évaluer.[85]

Le nombre douze revêt une signification importante pour les Babyloniens : c'est le nombre de fois qu'une nouvelle lune s'élève dans une année. Il gouverne donc le temps et les saisons.

Depuis la plus haute antiquité, quelques groupements d'étoiles – parmi les milliards qui nappent la voûte céleste – s'observent sur le chemin parcouru par la lune. On les nomme aujourd'hui constellations du zodiaque. Ces constellations semblent orbiter autour de la terre, alors que l'on sait que c'est plutôt la terre, accompagnée de son satellite lunaire, qui orbite autour du soleil sur le plan écliptique. C'est ainsi qu'une constellation différente s'observe avec chaque nouvelle lune et que certaines d'entre elles ne sont visibles que dans le ciel d'hiver, et d'autres l'été.

---

85   Bruce G. Trigger, *Understanding Early Civilizations: A Comparative Study*, Cambridge University Press, 2003, p. 612

Pour mieux comprendre et prédire le fonctionnement de ces mouvements célestes, les Babyloniens ont développé le système de notation sexagésimal (en base 60).[86]

Ce système facilite la mesure du temps et des angles. À la base, on trouve naturellement le nombre 60, multiple de 360, qui permet une bonne approximation du nombre de jours dans une année (1 degré = 1 jour). Par ailleurs, le nombre 60 est le complément naturel de 12. Il est divisible en autant de facteurs, soit 3 de plus que le nombre 100 (1,2,3,4,5,6,10,12,15,20,30,60 au lieu de 1,2,4,5,10,20,25,50,100). Cette grande divisibilité facilite l'utilisation de tables de multiplication inverses qui permettent un calcul mental rapide et précis.

Dans *Un lien géométrique entre le cercle et le système sexagésimal*, Jaime Vladimir Torres-Heredia Julca démontre avec brio la relation naturelle qui existe entre la géométrie du cercle et les nombres 6, 12, 24, 30, 60 et 360.[87] Il avance que cette relation est vraisemblablement à la base du système sexagésimal inventé par les Babyloniens. Le chiffre douze s'atteint en juxtaposant trois niveaux de cercles parfaits qui se touchent.

C'est vraisemblablement en observant ces mouvements célestes qu'ils auront mis au point un système si pratique que nous l'utilisons toujours pour le calcul du temps et pour les constructions géométriques.

---

86   Victor J. Katz, Annette Imhausen, Eleanor Robson, Joseph Dauben, Kim Plofker, J. Lennart Berggren, *The Mathematics of Egypt, Mesopotamia, China, India, and Islam: A Sourcebook*, Princeton University Press, 2007, p. 73

87   Jaime Vladimir Torres-Heredia Julca, *Un lien géométrique entre le cercle et le système sexagésimal*, Université de Genève, juillet 2005

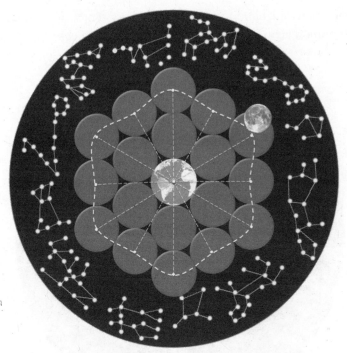

20: Une constellation pour chacun des cycles lunaires

Ce diagramme représente les douze constellations du zodiaque. Chacune d'elle apparaît sur le plan écliptique de la nuit étoilée d'un cycle lunaire différent. Il faut une année pour en effectuer le tour complet. Jaime Vladimir Torres-Heredia Julca fait remarquer que 6 cercles collés autour d'un noyau de même taille permettent d'en faire la circonférence parfaite, puis 12, 24, et ainsi de suite. Il avance que cette relation serait à l'origine du système sexagésimal.

Cette parfaite adéquation entre le chiffre douze et la figure géométrique du cercle aura certainement suscité la fascination chez les Babyloniens car il correspond bien au mouvement des planètes et de la lune sur le plan écliptique. Selon Bartel Leendert Waerden, les textes astronomiques les plus anciens connus en Mésopotamie dateraient effectivement de l'époque de Hammourabi.[88] Il est

---

88   Bartel Leendert Waerden, *Science Awakening*, Second Edition, Oxford University Press, 1961

donc vraisemblable de supposer que ces systèmes de datation et de notation aient déjà été employés par Abraham et ses proches.

21: L'étoile de David

On reconnaît au centre de cette figure l'étoile de David, symbole par excellence du judaïsme. La forme de cette étoile épouse le pourtour sinueux des douze cercles, témoignant, de façon éloquente, de la relation étroite qui lie le peuple hébreu à l'astronomie, au système sexagésimal et au nombre douze, chiffre «parfait» de la Bible.

Il est intéressant de noter qu'à l'époque, aucune distinction n'existait entre «astrologie» et «astronomie». Cette nouvelle capacité à prédire avec précision les mouvements célestes révolutionnera l'astrologie. Les Mésopotamiens donneront naissance aux premiers zodiaques qui permettront, beaucoup plus tard, l'apparition des horoscopes personnels.

22: Synagogue Alpha-Beit de Jérusalem
(VIᵉ siècle EC)

Les noms attribués à ces constellations ne sont qu'un moyen mnémotechnique permettant d'identifer le mois correspondant à chacun des cycles lunaires de l'année: Bélier, Taureau, Gémeaux, Cancer, Lion, Vierge, Balance, Scorpion Sagitaire, Capricorne, Verseau, Poisson. Certaines constellations étant beaucoup plus étendues que d'autres, la division du zodiaque en douze parties égales de 30° vise à établir une régularité dans le calendrier. La constellation du Serpentaire passe également sur le plan écliptique, mais n'est pas utilisée en astrologie.

Une partie importante de notre démonstration va s'appuyer sur ce système de datation.

– 5 –

Une nouvelle grille
pour interpréter
la Genèse

La thèse moderne voulant que le Pentateuque n'ait été compilé
qu'au retour de l'exil à Babylone accrédite l'idée que certains
textes ont dû être rassemblés, triés, interprétés, sélectionnés,
ordonnés, traduits et peut-être adaptés pour les besoins d'une
cause : la création d'une nouvelle identité religieuse pour le peuple
hébreu.

Notre nouvelle grille d'interprétation va permettre une relecture des textes de la Genèse. Pour en saisir les éléments, nous
proposons au lecteur cinq conditions qui ne changent pas la
nature des textes et ne visent qu'à faciliter le parcours.

1. Yahvé est un seigneur, Élohim est un Dieu

Notre thèse repose sur la prémisse voulant que Yahvé soit un
homme puissant et Élohim un dieu. Pour l'appréhender, le lecteur
est invité à s'interroger sur l'emploi des termes Yahvé et Élohim
dans le récit des Patriarches. Car si on les utilise aujourd'hui
sans distinction, nous croyons que ce n'était pas le cas lors de

la rédaction de ce récit de la Genèse. Il y a plus de 3 500 ans, soit près de mille ans avant la compilation des textes de la Bible, les notions de «dieu», de «demi-dieu», et de «seigneur» étaient encore des concepts interchangeables.

Compte tenu de cette confusion, il est compréhensible que certains scribes aient eu une préférence pour l'une ou pour l'autre de ces appellations. Et même si, dans l'ensemble, les noms d'origine ont été respectés, de nombreuses substitutions se sont malgré tout glissées au fil du temps. De plus, les supports d'argile ou de bois, de cuir ou de papyrus pouvaient se détériorer, laissant des sections entières à l'imagination des scribes et des copistes. Des erreurs de transcription et d'adaptation ont ainsi pu survenir lors de la compilation de la Bible.

Cette étape devrait être assez facile à franchir pour le lecteur, car les preuves sont nombreuses. À titre d'exemple, quatre ouvrages modernes confondent les termes Yahvé et Élohim dans les versets 6 : 5 de la Genèse.

Version	Verset Gn 6:5
John Nelson Darby	Et l'**Éternel (Yahvé)** vit que la méchanceté de l'homme était grande sur la terre, et que toute l'imagination des pensées de son cœur n'était que méchanceté en tout temps.
André Chouraqui	**IHVH-Adonaï (Yahvé)** voit que se multiplie le mal du glébeux sur la terre. Toute formation des pensées de son cœur n'est que mal tout le jour.
Louis Claude Fillion	Mais **Dieu (Élohim)**, voyant que la malice des hommes qui vivaient sur la terre était extrême, et que toutes les pensées de leur cœur étaient en tout temps appliquées au mal,
King James	And **God (Elohim)** saw that the wickedness of man was great in the earth, and that every imagination of the thoughts of his heart was only evil continually.

Dans le cadre de notre hypothèse de travail et de la relation présumée entre Abraham et son «Seigneur», c'est-à-dire d'une relation physique et de proximité, on s'attendrait à ce que le terme «Yahvé» soit toujours utilisé pour désigner ce seigneur. Le terme «Élohim» ne devrait donc être employé que lorsqu'Abraham s'adresse à une divinité immatérielle, en accord avec la religion païenne pratiquée à l'époque.[89]

À quelques exceptions près, c'est effectivement le cas, ce qui semble confirmer que le récit des Patriarches est demeuré fidèle à l'esprit de l'époque où il a été rédigé.

Les quelques «erreurs» peuvent donc être attribuées à des maladresses de scribes. Une analyse même sommaire des textes de la Genèse permettra au non-initié de les détecter facilement. Pour cela, il suffit de parcourir la Bible en s'interrogeant sur la nature de la relation au premier degré qui existe entre Yahvé-Élohim et Abraham.

Voici deux versets qui illustrent la problématique. Le premier (Gn 15:13) témoigne d'une relation physique, car c'est «Yahvé» qui parle avec Abraham. Si Yahvé est un suzerain, on ne détecte ici aucune incohérence :

*Gn 15:13 Et «**Yahvé**» dit à Abram : Sache certainement que ta semence séjournera dans un pays qui n'est pas le sien, et ils l'asserviront, et l'opprimeront pendant quatre cents ans.*

Pourtant, quelques versets plus loins, lorsque ce même suzerain s'éloigne d'Abraham, c'est le terme «Élohim» qui le désigne :

*Gn 17:22 Et ayant achevé de parler avec lui, «**Élohim**» monta d'auprès d'Abraham.*

À notre avis, il s'agit d'une «erreur» car le terme «Élohim» ne devait être employé que pour désigner une divinité païenne immatérielle et non ce suzerain mortel.

---

89   Voir sections *Les idoles d'Abraham* et *Yhavé ou Baal?*

Voici un verset dans lequel Abraham implore une divinité païenne pour obtenir la guérison. Le choix du terme «Élohim» est donc tout à fait approprié:

Gn 20:17 Et **Abraham pria Élohim, et Élohim guérit Abimélec,** *et sa femme et ses servantes, et elles eurent des enfants:*

L'exemple précédent est intéressant à plus d'un égard: c'est en effet le seul verset de la Bible où Abraham «prie» réellement. Partout ailleurs, l'emploi du verbe «prier» ne représente qu'une formule de politesse. En voici un exemple:

Gn 12:13 Dis, **je te prie,** *que tu es ma sœur, afin qu'il m'arrive du bien en considération de toi, et que mon âme vive à cause de toi...*

En revanche, plusieurs autres versets nous aident à mieux saisir l'origine du quiproquo qu'il convient de résoudre. Dans les deux versets suivants, «Yahvé» est perçu comme un «Élohim».

Gn 14:22 Et Abram dit au roi de Sodome: J'ai levé ma main vers **«Yahvé», le «Élohim» Très-haut, possesseur des cieux et de la terre:**

Gn 28:21 et que je retourne en paix à la maison de mon père, **«Yahvé» sera mon «Élohim».**

Abraham reconnaît donc implicitement une certaine dimension «divine» à ce grand seigneur. Tel que démontré dans les chapitres précédents, de nombreux rois de l'Antiquité se sont attribué de tels titres honorifiques.

Il est donc remarquable de voir combien, dans l'ensemble du récit des Patriarches, les termes d'origine ont été scrupuleusement respectés, et ce malgré les innombrables transcriptions dont il a été victime. Cette très grande cohérence témoigne, à notre avis, de l'historicité du récit.

Bien entendu, de nombreuses substitutions se sont malgré tout glissées au fil du temps. Une étude des textes permet d'identifier les passages où les termes de Yahvé et de Élohim ont été dénaturés.

Le diagramme ci-dessous présente le nombre d'occurrences des termes Yahvé et Élohim dans chacun des Chapitres 12 à 25 de la Genèse – ceux qui relatent l'histoire d'Abraham – et leur utilisation contextuelle.

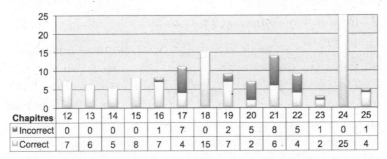

Chapitres	12	13	14	15	16	17	18	19	20	21	22	23	24	25
Incorrect	0	0	0	0	1	7	0	2	5	8	5	1	0	1
Correct	7	6	5	8	7	4	15	7	2	6	4	2	25	4

23: Utilisation contextuelle des termes Yavhé et Élohim

C'est ainsi que dans le Chapitre 16, les termes Yahvé et Élohim sont employés à sept reprises de manière conforme aux attentes. Une seule occurrence dans ce Chapitre soulève le doute. Il s'agit du verset suivant :

> *Gn 16:2 Et Saraï dit à Abram : Tu vois que* **« Yahvé » m'a** **empêchée d'avoir des enfants** *; va, je te prie vers ma servante ; peut-être me bâtirai-je une maison par elle. Et Abram écouta la voix de Saraï.*

En effet, on comprend mal comment un suzerain, tout puissant soit-il, pourrait être tenu responsable de la stérilité de Sarah. C'est donc plutôt Élohim qu'il aurait fallu transcrire et non pas Yahvé. Voilà pourquoi nous qualifions ce choix d'« incorrect » et croyons que c'est une « erreur ».

On remarque également que les Chapitres 12, 13, 14, 15, 18 et 24 ne comportent aucune « erreur ». Dans ces Chapitres, l'emploi du terme « Yahvé » correspond toujours à une relation physique alors que l'emploi du terme Élohim correspond à une relation divine immatérielle. À lui seul, le Chapitre 24 comporte 25 occurrences correctes. Dans les autres chapitres, on observe des utilisations incorrectes. Nous croyons qu'un taux d'«erreur» plus élevé est l'indice de textes ayant été remaniés.

Il conviendra donc de surveiller l'emploi de ces termes et de les substituer le cas échéant.

2. Abraham ne connaissait pas Yahvé

Comme les textes de l'Exode (Ex 6:3) confirment qu'Abraham n'appelait pas son seigneur «Yahvé», nous l'avons remplacé par l'équivalent plus probable de «Baal». Pour les croyants à qui l'on a toujours présenté Baal comme un dieu païen sanguinaire associé au culte du veau d'or, cette substitution pourrait relever du blasphème. Mais cette dernière vision s'est imposée tardivement. Rappelons qu'à l'époque d'Abraham, le terme «Baal» avait exactement le même sens que «maître» ou «seigneur», titres purement hono-rifiques pouvant s'appliquer aux dominants de l'époque.

3. L'ordre de certaines tablettes a été interchangé

À cette époque, on consignait les écrits sur des supports périssables. Une observation plus poussée des textes de la Genèse suggère que certains passages se retrouvent au mauvais endroit, comme si des tablettes avaient été interchangées. Des exemples sont donnés dans les chapitres suivants.

4. L'orthographe des noms propres varie beaucoup

D'une version de la Bible à l'autre, l'orthographe d'origine sémitique des noms propres, des personnes et des lieux varie en raison de la transcription phonétique. Par exemple, le k est souvent presque muet et facultatif. Les explosives t, b, p et la fricative f sont facilement interchangeables, ainsi que les semi-consonnes j et y. En outre, la graphie de l'ancien hébreu se passait de voyelles. C'est ainsi qu'Abraham peut tout aussi bien s'écrire «Ibrahim»; Joseph, «Yousef»; Terakh, «Terah» et le tétragramme «YHWH» s'écrit Yahvé ou Jéhovah.

5. Les dates doivent être interprétées correctement

Par le passé, de nombreuses expériences de datation chronologique ont tenté de situer les Patriarches dans un contexte historique. Toutefois, aucune n'a su s'arrimer de manière satisfaisante et complète aux données disponibles. Dans le meilleur des cas, seuls quelques événements de la Bible ont pu être rattachés aux données historiques, mais chaque fois en en contredisant d'autres. Voilà pourquoi de nombreux spécialistes en viennent à conclure que les dates proposées dans la Bible sont erronées.[90]

Voici les références bibliques le plus souvent citées pour tenter d'établir un rapprochement avec les preuves archéologiques connues :

Source	Événement
Gn 14:1	Amraphel, roi de Shinhar, généralement identifié comme Hammourabi, roi de Sumer (1792 à 1750)
Gn 12:4	Abraham a 75 ans lorsqu'il sort de Charan (entre en Canaan)
Gn 21:5	Abraham a 100 ans lors de la naissance d'Isaac
Gn 25:26	Isaac a 60 ans lors de la naissance de Jacob
Gn 47:28	Jacob meurt à 147 ans
Gn 50:26	Joseph meurt à 110 ans (on ne connaît pas l'âge de Jacob lorsqu'il engendre Joseph)
Ex 1:11	Ramsès II (1279 à 1213), généralement identifié comme le Pharaon de l'Exode parce qu'il a fait construire Pithom
Ex 12:40	Les enfants d'Israël ont séjourné 430 ans en Égypte
1 Roi 6:1	480 ans séparent l'Exode de la construction du temple de Salomon

Selon la Bible, l'Exode devrait se situer sous le règne de Ramsès II, de 1279 à 1213 : l'histoire nous enseigne en effet qu'il

---

90   Sophie Cluzan, *De Sumer à Canaan*, Éditions du Seuil, 2005, p. 161 et Eric H. Cline, *From Eden to Exile*, National Geographic, 2007, p. 45

est le pharaon qui a fait construire la ville de Pithom. Par ailleurs, il est généralement admis que Salomon régnait vers 970.

Comme de nombreux spécialistes se sont évertués à le démontrer, ces dates ne correspondent pas à ce que l'histoire nous enseigne : .

*Ex 1:11 Et l'on établit sur lui des chefs de corvées, afin de l'accabler de travaux pénibles. C'est ainsi qu'**il bâtit les villes de Pithom et de Ramsès**, pour servir de magasins à Pharaon.*

*1 Roi 6:1 Et il arriva, en la **quatre cent quatre-vingtième année** après la sortie des fils d'Israël du pays d'Égypte, en la **quatrième année du règne de Salomon** sur Israël, au mois de Ziv, qui est le second mois, que **Salomon bâtit la maison de l'Éternel.***

Si la construction du Temple de Salomon débute quatre ans après le début de son règne, l'Exode aurait dû avoir lieu 480 ans plus tôt, soit au milieu du XVe siècle AEC (=970-4+480). Cette période ne correspond pas au règne de Ramsès II qui est arrivé près de deux siècles plus tard.

Une autre méthode de calcul consiste à déterminer la date de l'Exode si l'on admet qu'Abraham est le contemporain de Hammourabi. Dans ce cas, il faut additionner la durée des générations des Patriarches au nombre d'années que les Hébreux ont passées en Égypte :

*Ex 12:40 **Le séjour** des enfants d'Israël en Égypte **fut de quatre cent trente ans.***

Sachant qu'Abraham a 100 ans à la naissance d'Isaac (Gn 21:5), qu'Isaac a 60 ans à la naissance de Jacob (Gn 25:26) et qu'il meurt à l'âge de 147 ans (Gn 47:28), on peut conclure que leurs générations s'étendent sur près de 300 ans.

Si le séjour en Égypte de leurs descendants fut de 430 ans, l'Exode aurait dû avoir lieu au milieu du XIe siècle AEC, soit 730 ans après Hammourabi en 1062 (=1792-300-430). Mais encore une fois, aucun élément dans la Bible, ni dans les nombreux écrits historiques, ne laisse croire qu'un exode massif du peuple juif hors de l'Égypte ait eu lieu à cette époque.

Voilà pourquoi la majorité des spécialistes qui ont tenté de situer Abraham dans un contexte historique évitent de se référer aux données disponibles dans la Bible et estiment que si l'Exode a vraiment eu lieu, il aurait plutôt dû survenir au XIIIᵉ siècle AEC, sous le règne de Ramses II ou de son fils Merneptah.

Partons plutôt du principe que les dates de la Bible sont exactes, mais qu'elles ont souffert d'une erreur d'interprétation, volontaire ou non. Les durées de vie d'Adam (930 ans) et de Noé (950 ans) n'ont rien de naturel. Certains y ont même vu l'œuvre de visiteurs extraterrestres ! Même la durée de vie d'Abraham (175 ans) et l'âge auquel Sarah a enfanté Isaac (90 ans) sont visiblement exagérés. Les spécialistes s'en remettent au mythe, ou à la nature sacrée des personnages pour expliquer ces longévités fantastiques. Il serait beaucoup plus normal de se reporter une nouvelle fois au contexte de l'époque pour les comprendre.[91]

S'il nous est tout naturel de comptabiliser le temps en années de 365 jours, il n'en a pas toujours été ainsi. En fait, qu'est-ce que le temps pour un observateur, sinon l'observation et la mesure des cycles qui se répètent ?

Le cycle le plus court est celui du jour, mais son utilisation n'est pas très pratique car il est difficile à mesurer. Dans la *Liste royale sumérienne*, certains rois d'avant le Déluge auraient vécu 28 800 ans.[92] La substitution de la notion de cycles à celle des années confère bien plus de réalisme à la chronologie. C'est ainsi

---

91 Voir comment Young applique des solutions algébriques intéressantes aux listes de rois sumériens dans : Dwight W. Young, *A Mathematical Approach to Certain Dynastic Spans in the Sumerian King List*, Journal of Near Eastern Studies, Vol. 47, No. 2, Avril 1988, pp. 123-129.

92 Sophie Cluzan, *De Sumer à Canaan*, Éditions du Seuil, 2005, p. 167

qu'en divisant 28 800 cycles par 365 jours, on obtient une durée de vie bien plus concevable de 79 ans.

Le cycle lunaire de 29,5 jours est le second cycle le plus visible et facile à mesurer. Il est effectivement plus difficile de déterminer la durée d'une année avec précision dans les régions tempérées. Seuls les peuples sédentaires sont en mesure d'observer et de calculer avec précision le cycle annuel.

Pour des nomades se déplaçant de cité en cité, il devait être beaucoup plus simple de s'en tenir aux cycles lunaires dont la présence céleste est observable sans instrument complexe. C'est ainsi que les durées de vie d'Adam (930 ans) et de Noé (950 ans) ont probablement été comptabilisées en cycles lunaires plutôt qu'en années. En divisant 365 par 29,5, soit 12,4 cycles par année, on obtient les âges respectifs de 75 ans pour Adam et de 77 ans pour Noé.

Soumettons les longues durées de vie des personnages bibliques à ce nouveau calcul sur la base du cycle lunaire :

Source	Événement	cycles lunaires	÷ 12,4 cycles
Gn 5:5	Longévité d'Adam	930	75 ans
Gn 5:8	Longévité de Seth	912	74 ans
Gn 5:11	Longévité d'Énosh	905	73 ans
Gn 5:14	Longévité de Kénan	910	74 ans
Gn 5:17	Longévité de Mahalaleël	895	72 ans
Gn 5:20	Longévité de Jéred	962	78 ans
Gn 5:23	Longévité de Hénoc	365	30 ans
Gn 5:27	Longévité de Methushélah	969	78 ans
Gn 5:31	Longévité de Lémec	777	63 ans
Gn 5:32	Âge de Noé lors de la naissance de Sem	500	40 ans
Gn 7:11	Âge de Noé lors du déluge	600	48 ans
Gn 9:29	Longévité de Noé	950	77 ans

Voilà qui est nettement plus réaliste! Toutefois, le lecteur qui voudrait appliquer la même méthode de calcul aux années relatant les naissances sera déçu des résultats. Car les très anciennes listes de Rois connues ne rapportent que la durée des règnes, non celles des naissances. Ces dernières auront été ajoutées a posteriori pour justifier une filiation.

Il semble donc que les scribes qui ont fait l'amalgame des différents textes de la Genèse n'ont pas replacé ces données en contexte. En effet, ces durées de vie extraordinaires démontrent clairement que l'origine et la nature précises de ces textes devaient être méconnues des scribes et ne servaient qu'à remplir une fonction de préambule pour expliquer l'origine de la création du monde.

L'âge des Patriarches

Compte tenu de leurs nombreuses ressemblances avec les textes de l'Enûma Eliš et de Gilgamesh, on est en droit de soupçonner que les récits de la création et du déluge proviennent de sources antérieures qui auraient été adaptées. Bien que la filiation d'Abraham remonte jusqu'à Adam et Ève, on suppose que sa véritable généalogie ne présente d'intérêt qu'à partir du moment où l'on observe une réduction significative de l'âge des hommes, c'est-à-dire à la suite du déluge et après Noé.

Il est très intéressant de noter, qu'à l'instar des personnages de la Bible, les rois de la *Liste royale sumérienne* ont des durées de vie similaires quand on compare les dates antédiluviennes et postdiluviennes.[93] Cette observation accrédite l'idée que la Bible a été rédigée à partir de sources ayant des origines communes.

Naïfs ou incapables d'expliquer une telle «mutation», les auteurs de la Genèse semblent quand même embarrassés puisqu'ils se sentent obligés de souligner et de justifier ce changement en

---

93   Sophie Cluzan, *De Sumer à Canaan*, Éditions du Seuil, 2005, p. 167

déclarant que les hommes auraient maintenant une durée de vie plus «normale»:

> Gn: 6:3 Et Yahvé dit: Mon Esprit ne contestera pas à toujours avec l'homme, puisque lui n'est que chair; mais **ses jours seront cent vingt ans.**

Malgré une apparence toujours un peu surnaturelle, les durées de vie des Patriarches n'ont pas du tout le même ordre de grandeur que celles de Noé et des générations antérieures. Cette échelle aux dimensions plus humaine témoigne fort probablement d'un accès à des sources plus récentes et à des données plus fiables. Cette reconstruction laisse supposer que cycle lunaire n'était déjà plus utilisé.

Il est bon de rappeler qu'en Mésopotamie, les calculs se sont longtemps effectués en base 60. Il est donc fort possible qu'une erreur d'interprétation – volontaire ou non – soit survenue lors d'une transcription.

En multipliant toutes les données du Pentateuque par 6/10, nombre correspondant au rapport entre les bases 60 et 100, on arrive à des résultats remarquables. Par exemple, une génération de 40 ans x 6/10 devient 24 ans. Ainsi, en convertissant les données bibliques, Abraham ne serait pas mort à l'âge extraordinaire de 175 ans, mais plutôt à 105 ans. Sarah n'aurait pas enfanté Isaac à 90 ans, mais à 54 ans (on sait qu'elle était déjà «vieille» mais que la ménopause peut survenir chez la femme jusqu'à 60 ans). Voilà donc une piste intéressante. Mais qu'en est-il des dates qui permettent de situer Abraham?

Si l'on reprend les données de 1 Roi 6:1 et que l'on situe l'Exode, non pas à 480 ans, mais plutôt à 288 ans (=480x6/10) avant la construction du Temple de Salomon en 966, on tombe cette fois en 1254, soit précisément à l'intérieur du règne de Ramsès II.

Nous allons voir qu'en appliquant systématiquement cette grille de calcul, toutes les dates du Pentateuque s'enchaînent parfaitement.

Il semble que Colin J. Humphreys[94] et Robert M. Best[95] aient eu la bonne intuition en tentant de comprendre la chronologie biblique, mais sans toutefois mener leur raisonnement à son terme.

Cette mise au point étant faite, le récit de la Genèse se présente sous un jour nouveau.

94   Colin J. Humphreys, *The Miracles of Exodus: A Scientists Discovery of the Extraordinary Natural Causes of the Biblical Stories*, HarperCollins Publishers, 2004

95   Robert M. Best, *Noah's Ark and the Ziusudra Epic: Sumerian Origins of the Flood Myth*, Enlil Press, 1999

DEUXIÈME PARTIE

ABRAHAM, CONTEMPORAIN DE HAMMOURABI ?

ISAAC ET LES TABLETTES PERDUES

JACOB ET JOSEPH EN ÉGYPTE

– 6 –

Abraham, contemporain de Hammourabi ?

L'étude du contexte historique de l'Égypte, du Levant et de la Mésopotamie au tournant du deuxième millénaire aide à mieux saisir la situation à l'arrivée des Patriarches. Les informations recueillies aux chapitres précédents permettent de dresser une nouvelle «grille d'interprétation» qui, appliquée à la Genèse, dévoile une histoire, celle des Amorrites, ancêtres du peuple juif.

Cette peuplade prend le contrôle de la Mésopotamie sous le règne d'Ibi-Sin, soit peu de temps après la construction des premières ziggourats sous Ur-Nammu. Juxtaposé aux nombreux textes anciens et aux personnages historiques qui ont façonné cette région, le récit biblique révèle d'étonnants parallèles :

- *Les anciens textes sumériens de l'Enûma Eliš trouvent écho dans les récits du Jardin d'Éden et de la Tour de Babel.*

- *Le déluge de Noé copie le mythe de Gilgamesh.*

- *La naissance de Moïse déposé sur une rivière dans un panier enduit de bitume calque la naissance de Sargon d'Akkad.*

- *Les durées de vies extraordinaires d'Adam et de Noé se retrouvent dans la liste des rois sumérienne.*

- *Les Dix commandements de Moïse s'apparentent étrangement au Code de lois de Hammourabi.*

On comprend mieux maintenant qu'en s'autoproclamant «dieu vivant», de nombreux rois de Mésopotamie ont véritablement galvaudé les notions de «dieu», de «demi-dieu», et de «seigneur». Pourquoi le «seigneur» d'Abraham n'aurait-il pas été lui aussi un homme respecté et vénéré? Il est donc important de s'interroger sur l'emploi du terme «dieu» à l'époque des Patriarches.

Ce n'est qu'au XVIIIe siècle AEC, sous la gouvernance du puissant Hammourabi, «roi de la terre des Amorrites», que cette civilisation atteint son apogée. Homme de conviction passionné de justice, Hammourabi exerce une influence majeure sur l'ensemble du Croissant fertile. Il étend son territoire et impose ses lois en usant de diplomatie, mais sans hésiter à recourir à la force. La gestion d'une région aussi vaste doit se faire avec l'aide d'hommes de confiance, capables d'un dévouement total. Comme une majorité d'historiens reconnaissent en Abraham un contemporain de Hammourabi et que ce dernier présente un profil culturel en tous points compatible avec lui, il aurait très bien pu s'établir entre eux une relation de confiance. La question se pose donc: est-il vraisemblable que Hammourabi ait confié à Abraham la gouvernance de Canaan? Hammourabi serait-il le «Baal» d'Abraham?

Vu sous ce nouvel angle, le texte «sacré» de la Genèse va apparaître comme le récit de la relation qui unit ces deux hommes.

Hypothèse de travail

Notre démonstration va se dérouler en plusieurs étapes. Comme aucun document n'atteste de l'historicité d'Abraham, comment apporter la preuve de son existence?

Les théories scientifiques modernes sont échafaudées à partir d'hypothèses logiques qui permettent de développer un modèle mathématique cohérent que l'on s'applique ensuite à confirmer par des tests en laboratoire. Bien que d'un tout autre ordre de complexité, notre démarche va également suivre un cheminement analogue. Par contre, il est entendu qu'une éventuelle confirmation de nos hypothèses ne viendra pas par des «tests en laboratoire» mais plutôt par l'étude des artefacts archéologiques connus et à découvrir.

De nombreux indices sur l'âge des personnages nous sont donnés tout au long du récit des Patriarches. Il devient possible de construire une chronologie en situant les événements les uns par rapport aux autres. Pour ce faire, il suffit de noter l'âge d'un personnage à un moment précis et de le situer par rapport aux générations qui l'ont précédé. Comme l'histoire des Patriarches s'articule autour d'Abraham, nous pouvons arrimer la chronologie biblique avec l'histoire dès que sa date de naissance est connue.

C'est donc en posant les deux hypothèses suivantes que nous allons bâtir notre argumentation :

Hammourabi est le «seigneur» d'Abraham

Abraham et Hammourabi sont nés en 1810

Le but de cet ouvrage étant d'établir une «preuve», nous allons démontrer dans les pages suivantes que ces hypothèses de départ peuvent non seulement se vérifier, mais qu'aucune autre possibilité ne semble être envisageable.

Bien entendu, ces prémisses ne sont pas le fruit du hasard, mais plutôt le résultat de nombreuses recherches. Si cette date semble *a priori* arbitraire, le lecteur va être à même de constater qu'elle se révélera très précise au fur et à mesure de l'établissement de la preuve.

En suivant la trame du récit à la lettre, notre étude va porter sur deux plans : logique et chronologique.

C'est en proposant une interprétation logique des textes que nous confirmerons la relation qui existe entre les deux hommes.

Et c'est en situant la chronologie des événements les uns par rapport aux autres que nous parviendrons à notre fin.

Afin de minimiser les risques d'erreurs fortuites, issues du simple hasard, il est capital de bien circonscrire la zone dans laquelle nos recherches vont s'effectuer. Nous commencerons donc par démontrer qu'Abraham est non seulement le contemporain de Hammourabi, mais que les deux hommes partagent vraisemblablement une histoire commune.

Dans la foulée de cette première démonstration, c'est par l'analyse critique du Chapitre de la guerre des Rois que nous poserons les bases de notre raisonnement tout en confirmant la relation qui unit les deux hommes.

L'analyse des Chapitres subséquents de la Genèse viendra renforcer ces constatations initiales par l'accumulation d'un certain nombre de preuves circonstancielles.

Les ancêtres d'Abraham s'installent en Mésopotamie

Si une grande majorité d'historiens et de spécialistes situent volontiers Abraham au XVIIIe siècle AEC, nous croyons qu'il est malgré tout nécessaire de confirmer cette hypothèse par l'analyse des textes bibliques et des dates que l'on y trouve.

Que sait-on des ancêtres d'Abraham? La Genèse nous apprend qu'ils font partie d'un groupe qui a migré du Levant vers la Mésopotamie pour s'installer dans la région de Shinhar (Sumer).

*Gn 11:2 Et il arriva que **lorsqu'ils partirent de l'orient**[96], ils trouvèrent une plaine dans **le pays de Shinhar**; et ils y habitèrent.*

La Bible confirme par ailleurs que le «*pays de Shinhar*» correspond bel et bien à Sumer car cette région englobe les villes de Babylone, Uruk et Akkad.

---

96   Il est intéressant de noter qu'André Chouraqui traduit le terme vague d'«Orient» par celui de «Levant».

*Gn 10:10 Et le commencement de son royaume fut **Babel, et Érec, et Accad, et Calné, au pays de Shinhar.***

De plus, on sait que cette migration a eu lieu à l'époque de la construction de la Tour de Babel car le texte se poursuit ainsi:

*Gn 11:4 Et ils dirent: Allons, **bâtissons-nous une ville,** et une tour dont le sommet atteigne jusqu'aux cieux; et **faisons-nous un nom,** de peur que nous ne soyons dispersés sur la face de toute la terre.*

Leur condition de nomades les garde en marge de la tendance de sédentarisation qui exerce une pression croissante sur eux. Le développement de l'agriculture, l'occupation grandissante des territoires et l'expansion de nouveaux empires les incitent à s'établir pour éviter le danger de la «diaspora». Il est donc tout à fait normal qu'ils cherchent à se «bâtir une ville» et à se «donner un nom».

Rappelons que la première ziggourat fut érigée sous le règne d'Ur-Nammu (2112 à 2095); bien sûr, d'autres seront construites par la suite. On pense que la ziggourat Etemananki de Babylone est à l'origine du mythe de la Tour de Babel. Malheureusement, la date du début de sa construction est inconnue. Mais comme elle fut érigée sur le site du temple de Mardouk, on suppose qu'elle existait déjà au temps de Hammourabi.[97] Les premières tribus nomades amorrites arrivent sous le règne de Shulgi, mais ce n'est que pendant le règne d'Ibi-Sin, au XXIe siècle AEC, qu'elles réussissent finalement à pénétrer l'enceinte de la ville et à s'emparer du pouvoir à Ur.

Si Abraham est bel et bien un gouverneur de Hammourabi, sa généalogie devrait s'intégrer tout naturellement dans l'histoire de cette région. Le Chapitre 11 de la Genèse (versets 10 à 27)

---

97   Strobe Talbott, *The Great Experiment: The Story of Ancient Empires, Modern States, and the Quest for a Global Nation,* Simon & Schuster, 2008

énumère ses ancêtres depuis Sem, premier de sa lignée à s'installer en Mésopotamie, ainsi que l'âge auquel ils auraient engendré leur fils.

Transposons les données bibliques dans le système décimal selon le calcul 6/10 :

Source	Événement	Bible	6/10
Gn 11:10	Âge auquel Sem engendre Arpacshad	100	60
Gn 11:12	Âge auquel Arpacshad engendre Shélakh	35	21
Gn 11:14	Âge auquel Shélakh engendre Héber	30	18
Gn 11:16	Âge auquel Héber engendre Péleg	34	20
Gn 11:18	Âge auquel Péleg engendre Rehu	30	18
Gn 11:20	Âge auquel Rehu engendre Serug	32	19
Gn 11:22	Âge auquel Serug engendre Nakhor	30	18
Gn 11:24	Âge auquel Nakhor engendre Térakh	29	17
Gn 11:26	Âge auquel Térakh engendre Abram	70	42
	Total	390	234

Donc, selon la Bible, Abraham est né 390 ans après Sem. Il semble que l'auteur cherchait ici à définir une filiation à partir des années de règne. Dans ce cas, « engendrer » signifierait probablement « passer le pouvoir ».

Posons l'hypothèse qu'Abraham et Hammourabi avaient le même âge[98]. Comme ce dernier règne entre 1792 et 1750, Sem aurait vécu 390 ans avant lui, soit vers 2182 (=1792+390). Par contre, si l'on applique le facteur multiplicateur 6/10, il aurait plutôt vécu 234 ans avant Hammourabi, soit vers 2026 (=1792+234).

On se souviendra que les nomades amorrites réussirent à pénétrer l'enceinte qui protégeait la ville de Ur sous le règne de Ibi-Sin. Ce dernier a hérité du "pouvoir en 2028."

---

98   Voir section *Complément d'étude* pour démonstration.

Sem, l'ancêtre d'Abraham, aura vraisemblablement combattu Ibi-Sin auprès des siens, pendant quelques années avant de le renverser et de prendre le contrôle de la région et s'établir à Ur.

La somme des générations des neuf ancêtres d'Abraham, soit 234 ans, correspond parfaitement au temps écoulé entre la prise de pouvoir par les Amorrites en Mésopotamie et celle de Hammourabi. Par ailleurs, on sait que les Amorrites ont pris le pouvoir peu de temps après la construction des premières ziggourats au moment de cette migration. Terminées quelques années auparavant, ces ziggourats devaient inspirer ceux qui avaient la chance de les admirer.

Plus que de simples coïncidences, ces arguments renforcent la thèse présentant Abraham comme un contemporain de Hammourabi. Liés à cette migration et à cette prise de pouvoir, ces deux hommes puissants appartiennent vraisemblablement au même clan.

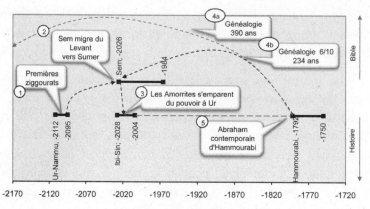

24: **Migration des ancêtres d'Abraham**

Une fois posée l'hypothèse qu'Abraham et Hammourabi sont contemporains (5), la généalogie de 390 ans (4a) devient anachronique (2) car elle impliquerait une migration des ancêtres d'Abraham bien avant la construction des premières ziggourats (1). Or, la Bible nous apprend que cette migration survient peu de temps avant la construction de la tour de Babel (ziggourat Etemananki de Babylone) qui ne peut précéder celle érigée par Ur-Nammu. En revanche, la généalogie de 234 ans (4b) montre que le Sem biblique migre et prend le pouvoir sous le règne de Ibi-Sin, précisément lorsque l'histoire nous apprend que les Amorrites s'emparent du pouvoir à Ur (3).

La gouvernance de Canaan

L'histoire d'Abraham débute véritablement lorsque son père Térakh quitte Ur pour se diriger vers Canaan :

> *Gn 11:31 Et Térakh prit Abram son fils, et Lot, fils de Haran, fils de son fils, et Saraï, sa belle-fille, femme d'Abram, son fils ; et **ils sortirent ensemble d'Ur** des Chaldéens pour aller au pays de Canaan ; et ils vinrent jusqu'à Charan, et habitèrent là.*

Comme Térakh occupait un poste avancé à Charan, ville située complètement au nord-ouest de l'empire babylonien, il n'est pas impossible qu'on lui ait déjà confié le contrôle de cette région éloignée. Dans ce cas, Abraham aurait été à bonne école pour apprendre les rudiments de la diplomatie avec son père. Une fois la région stabilisée, cette expérience aurait certainement fait de lui un excellent ambassadeur pour poursuivre l'expansion de l'empire.

Quoi qu'il en soit, Abraham se voit éventuellement confier l'administration du territoire de Canaan. Peut-être est-il déjà une personne de confiance aux yeux de «Baal». Mais à ce moment, il n'est fait mention d'aucune alliance proprement dite. On lui promet simplement un bel avenir :

> *Gn 12:1 Et «Baal» avait dit à Abram: Va-t'en de ton pays, et de ta parenté, et de la maison de ton père, dans le pays que je te montrerai;*

> *Gn 12:2 et je te ferai devenir une grande nation, et je te bénirai, et je rendrai ton nom grand, et tu seras une bénédiction;*

La guerre des Rois

Curieusement, l'histoire d'Abraham débouche très rapidement sur ce qui peut paraître un événement anodin : la guerre des Rois de Sodome et Gomorrhe. Ce passage est d'ailleurs souvent escamoté par la théologie classique.

Or, la Bible nous apprend que la ville de Sodome sera «attaquée» à deux reprises. Lors de la première attaque, quatre conquérants cherchent à asservir le peuple de Sodome. Comme ils échouent partiellement, on s'attendrait à une «récidive». Mais curieusement, c'est par la «foudre de Dieu» que les habitants seront anéantis, sous prétexte qu'ils ne respectent pas les lois «divines» et qu'ils vivent dans le péché le plus abject – d'où l'origine du mot «sodomie».

La relecture que nous proposons va mettre en lumière des liens insoupçonnés entre ces deux épisodes guerriers. En nette opposition à ce que la théologie classique enseigne, nous croyons que la destruction de la ville n'est pas du tout l'œuvre de la volonté divine, mais que ces deux événements répondent aux mêmes impératifs commerciaux: il importe de contrôler les ressources du territoire, d'en assurer la libre circulation et de prélever les impôts.

Véritable pierre angulaire de notre analyse, les deux récits de ces incidents recèlent des informations capitales pour la suite de l'histoire, car elles permettent d'établir les bases de la démonstration qui confirmera que Hammourabi est bel et bien le «seigneur» d'Abraham.

Le récit de la première bataille, celle que l'on appelle communément «Guerre des Rois», peut se résumer comme suit :

Pendant une douzaine d'années, Kedor-Laomer, roi d'Élam, asservit les contrées éloignées de Sodome et de Gomorrhe et y prélève des impôts. Lorsque leurs habitants se révoltent et sont perçus comme une menace pour le libre marché des biens et l'accès au bitume, Kedor-Laomer convainc ses alliés Amraphel, Arioc et Tidhal de lui prêter main-forte pour aller mater cette rébellion. Les quatre rois en profitent pour piller les deux villes et ils s'enfuient avec leurs habitants dont fait partie Lot, le neveu d'Abraham.

Dès qu'il apprend cette nouvelle, Abraham se lance à leurs trousses, les «frappe» et récupère les biens et libère les habitants. Roi de Salem allié de Sodome, Melchisédec célèbre la victoire par des offrandes alors que les habitants soulagés veulent remercier Abraham qui, étonnamment, refuse toute rétribution pour le service qu'il vient de leur rendre.

Ces quatre rois qui attaquent Sodome et Gomorrhe ont-ils réellement existé ? Comment cette histoire s'inscrit-elle dans notre démarche ? Pourquoi Abraham refuse-t-il toute rétribution ?

Analysons le récit en détail pour en comprendre tout le sens :

*Gn 14:1 Et il arriva, aux jours d'**Amraphel, roi de Shinhar**, d'**Arioc, roi d'Ellasar**, de **Kedor-Laomer, roi d'Élam**, et de **Tidhal, roi des nations**,*

*Gn 14:2 qu'ils firent la guerre contre Béra, **roi de Sodome**, et contre Birsha, **roi de Gomorrhe**, contre Shineab, roi d'Adma, et contre Shéméber, roi de Tseboïm, et contre le roi de Béla, qui est Tsoar.*

Gn 14:3 Tous ceux-ci se joignirent dans la vallée de Siddim, qui est la mer Salée.

*Gn 14:4 **Douze ans, ils avaient été asservis à Kedor-Laomer, mais, la treizième année, ils se révoltèrent.***

Les motifs réels de cette première guerre sont clairs : il s'agit de mater toute rébellion.

Après douze ans d'asservissement, le roi de Sodome et ses alliés se révoltent et cherchent à recouvrer la liberté pour leur peuple :

*Gn 14:5 **Et la quatorzième année, Kedor-Laomer vint, et les rois qui étaient avec lui, et il frappèrent** les Rephaïm à Ashteroth-Karnaïm, et les Zuzim à Ham, et les Émim à Shavé-Kiriathaïm,*

Gn 14:8 Et le roi de Sodome, et le roi de Gomorrhe, et le roi d'Adma, et le roi de Tseboïm, et le roi de Béla, qui est Tsoar, sortirent et se rangèrent en bataille contre eux dans la vallée de Siddim,

Gn 14:9 contre Kedor-Laomer, roi d'Élam, et Tidhal, roi des nations, et Amraphel, roi de Shinhar, et Arioc, roi d'Ellasar : quatre rois contre cinq.

Commençons par situer ces rois. Il semble qu'Amraphel, Arioc, Kedor-Laomer et Tidhal correspondent bien à des personnages ayant vécu au XVIIIe siècle AEC.

En Gn 14:1, la Bible précise qu'«Amraphel» est roi de «Shinhar» et elle décrit correctement la région de Sumer en Gn 10:10. Même s'il n'y a pas unanimité, une majorité de spécialistes identifient volontiers Amraphel à Hammourabi et acceptent les démonstrations des professeurs Eberhard Schrader et Fritz Hommel.[99] Selon eux, le nom Hammourabi provient de

---

99   Theophilus Goldridge Pinches, *The Old Testament In the Light of the Historical Records and Legends of Assyria and Babylonia*, Elibron Classics, 2002, p. 209

Hamu(m)-rabi qui signifie «ma famille est grande». Une tablette plus récente parle d'«Ammurapi» qui s'approche davantage de la forme Amraphel retrouvée dans la Bible. Pour certains, la terminaison en «l» reste difficile à expliquer. Nous adhérons à la thèse voulant qu'il pourrait s'agir de la divinité «el», rattachée au nom *Ammurapi-îlu.*[100]

Mais si plusieurs biblistes et historiens acceptent la thèse que Hammourabi ait pu participer à cette guerre, aucun n'a jamais soupçonné qu'il était également le «seigneur» d'Abraham, ce que la suite des événements viendra confirmer.

Mais qu'en est-il des trois autres rois? Deux possibilités existent pour Arioc. Selon des inscriptions retrouvées à Gasur-Nuzi, il pourrait s'agir du roi hourrite Ariukki qui aurait également régné au XVIIIe siècle AEC.[101] Mais la suite va montrer qu'«Eriaku, roi de Larsa» généralement associé à Rim-Sin qui régna de 1822 à 1763 semble correspondre davantage à «Arioc, roi d'Ellasar».[102]

Tidhal, quant à lui, pourrait être le roi hittite Tudhaliya, arrière-grand-père de Ḫattušili I qui aurait aussi régné au XVIIIe siècle AEC.[103] Mais plusieurs souverains hittites ont porté ce nom. Comme les Hittites et les Amorrites entretiennent des liens

---

100   Ibid. p. 211

101   David Noel Freedman, Allen C. Myers, Astrid B. Beck, *Eerdmans Dictionary of the Bible*, Wm. B. Eerdmans Publishing, 2000, p. 100

102   Marc Van de Mieroop, *King Hammurabi of Babylon: A Biography*, Blackwell Publishing, 2005, p. 31
Geoffrey W. Bromiley, *The International Standard Bible Encyclopedia*, Eerdmans Publishing, 1995, p. 127
John Arendzen, *"Babylonia." The Catholic Encyclopedia. Vol. 2.*, Robert Appleton Company, 1907

103   Theophilus Goldridge Pinches, *The Old Testament In the Light of the Historical Records and Legends of Assyria and Babylonia*, Elibron Classics, 2002, p. 366
Harry A. Hoffner, Gary M. Beckman, Richard Beal, Richard Henry Beal, John Gregory McMahon, *Hittite Studies in Honor of Harry A. Hoffner, Jr*, Eisenbrauns, 2003, pp. 16, 20

étroits tout au long de l'histoire, il n'est pas étonnant de retrouver Tidhal auprès de Hammourabi.

Finalement, bien peu d'informations permettent d'identifier Kedor-Laomer.[104] Au mieux, il pourrait s'agir d'une transposition de «Kudur-Lagamar», en référence à Lagamaru, une divinité élamite mentionnée par Assurbanipal. Ce lien attesterait que ce nom provient vraiment de la région d'Élam. Toutefois, le roi d'Élam contemporain de Hammourabi était Siwe Palar Khuppak.[105] S'il faut en croire la Bible, Kedor-Laomer ne serait qu'un autre nom pour Siwe Palar Khuppak (ou de son successeur Kuduzulush I qui aurait pu participer à cette guerre).

Mais pourquoi un Hammourabi aussi puissant prend-il part à cette aventure en compagnie de trois autres rois ? Pourquoi les gens de Sodome étaient-ils soumis à Kedor-Laomer plutôt qu'à Hammourabi ?

Rappelons qu'au cours des vingt-cinq premières années de son règne, Hammourabi s'est essentiellement consacré à l'amélioration des infrastructures locales et ne s'est intéressé à l'expansion de son royaume que tardivement. Si cette guerre a eu lieu au début, ou juste avant l'expansion de son royaume, c'est-à-dire avant qu'il devienne puissant, il ne faut pas s'étonner de le voir s'associer à des alliés pour s'engager militairement. Par ailleurs, l'histoire nous apprend qu'avant l'expansion du royaume de Babylone par Hammourabi, le roi d'Élam était, ou se considérait, plus puissant que celui de Babylone. Il n'est donc pas très surprenant de voir ces lointaines contrées sous son joug.

---

104 Theophilus Goldridge Pinches, *The Old Testament In the Light of the Historical Records and Legends of Assyria and Babylonia*, Elibron Classics, 2002, p. 209

105 P. Mack Crew, I. E. S. Edwards, J. B. Bury, Cyril John Gadd, Nicholas Geoffrey, Lemprière Hammond, E. Sollberger, *The Cambridge Ancient History: C. 1800-1380 B. C.*, Cambridge University Press, 1973, p. 265

À la suite de cette offensive majeure, les rois de Sodome et Gomorrhe s'enfuient, abandonnant leurs richesses, ainsi que Lot – le neveu d'Abraham –, aux mains des attaquants:

Gn 14:10 Et **la vallée de Siddim était pleine de puits de bitume**: et les rois de Sodome et de Gomorrhe s'enfuirent, et y tombèrent; et ceux qui restèrent s'enfuirent dans la montagne.

Le bitume présent, employé dans la construction des bateaux, des maisons et pour l'éclairage, était déjà très convoité.[106] Il était donc important d'en assurer le contrôle. On constate les mêmes impératifs aujourd'hui.

Gn 14:11 **Et ils prirent tous les biens de Sodome et de Gomorrhe**, et tous leurs vivres, et ils s'en allèrent.

Gn 14:12 **Ils prirent aussi Lot, fils du frère d'Abram**, et son bien, et ils s'en allèrent; car Lot habitait dans Sodome.

Mais lorsqu'Abraham apprend que son neveu Lot a été fait prisonnier, il ne l'entend pas de la sorte. Il lève une armée et part à la poursuite de ces quatre rois.

Gn 14:13 Et un homme, qui était échappé, vint et le rapporta à Abram, l'Hébreu, qui demeurait auprès des chênes de Mamré, l'Amoréen, frère d'Eshcol et frère d'Aner: ceux-ci étaient alliés d'Abram.

Gn 14:14 Et Abram apprit que son frère[107] avait été emmené captif, et **il mit en campagne ses hommes exercés, trois cent dix-huit hommes**, nés dans sa maison, et poursuivit les rois jusqu'à Dan;

106　Madeleine Lurton Burke, Madeleine Burke, Paule Jarre-Chardin, *Dictionnaire archéologique des techniques: (1-2. A- Z)*, Éditions de l'Accueil, 1963
　　　Robert James Forbes, *Bitumen and Petroleum in Antiquity*, E.J. Brill, 1936, p. 23

107　L'expression «frère» est utilisée plus d'une fois dans son sens large. Elle fait ici référence à Lot, son neveu.

Pour qu'Abraham ait pu disposer de quelques centaines d'hommes « *exercés, et nés dans sa maison* », il est clair qu'il devait déjà être très puissant.

*Gn 14:15 et **il divisa sa troupe, et se jeta sur eux de nuit**, lui et ses serviteurs, **et il les frappa**, et les poursuivit jusqu'à Hoba, qui est à la gauche de Damas.*

*Gn 14:16 Et **il ramena tout le bien, et ramena aussi Lot**, son frère, et son bien, et aussi les femmes et le peuple.*

Mais si les gens de Sodome avaient véritablement péché aux yeux de Dieu, pourquoi Abraham ne se serait-il pas contenté de ramener son neveu Lot? Pourquoi choisit-il d'être si indulgent et de leur restituer le butin volé?

Gn 14:17 Et comme il s'en revenait après avoir frappé Kédor-Laomer et les rois qui étaient avec lui, le roi de Sodome sortit à sa rencontre dans la vallée de Shavé, qui est la vallée du roi.

*Gn 14:18 Et **Melchisédec, roi de Salem**, fit apporter du pain et du vin (or il **était sacrificateur du Élohim Très-haut**);*

En sa qualité de prêtre et de « sacrificateur du Élohim Très-haut », l'énigmatique Melchisédec laisse beaucoup de croyants perplexes car la théologie classique nous le présente comme un officier supérieur qui reconnaît le « nouveau » dieu d'Abraham et le sert déjà. Mais si Abraham était le père d'une nouvelle religion, comment Melchisédec pouvait-il déjà en détenir la prêtrise?

En appliquant la distinction entre Yahvé et Élohim, on reconnaît plutôt en Melchisédec un sacrificateur aux dieux païens. Nous avons effectivement vu précédemment que la notion de « sacrifice » était déjà très profondément ancrée dans les rites païens de la région.

Gn 14:19 et il le bénit, et dit: Béni soit Abram de par le Élohim Très-haut, possesseur des cieux et de la terre!

Gn 14:20 **Et béni soit le Élohim Très-haut, qui a livré tes ennemis entre tes mains!** *Et Abram lui donna la dîme de tout.*

Après s'être félicité de la victoire d'Abraham, on remercie le dieu El et son sacrificateur.

Gn 14:21 Et le roi de Sodome dit à Abram: Donne-moi les personnes, et **prends les biens pour toi.**

Gn 14:22 Et Abram dit au roi de Sodome: **J'ai levé ma main vers «Baal»,** *le Élohim Très-haut, possesseur des cieux et de la terre:* [108]

Gn 14:23 si, depuis un fil jusqu'à une courroie de sandale, oui, si, de tout ce qui est à toi, je prends quoi que ce soit,... afin que tu ne dises pas:

Gn 14:24 Moi, j'ai enrichi Abram!... sauf seulement ce qu'ont mangé les jeunes gens, et la part des hommes qui sont allés avec moi, Aner, Eshcol et Mamré: eux, ils prendront leur part.

L'importance du verset Gn 14:22 tient au fait qu'on interprète traditionnellement ce passage en présentant un Abraham levant la main devant son Dieu, jurant que jamais il ne s'enrichirait au détriment des gens de Sodome. Mais cette interprétation doit être remise en question, car même le roi de Sodome semble d'avis qu'une telle expédition mérite une juste rétribution (Gn 14:21).

Ne conviendrait-il pas plutôt d'attribuer à l'expression «lever la main» son sens agressif habituel de «frapper»? Ce terme est effectivement utilisé quelques versets plus tôt (Gn 14:15) pour décrire l'attaque. Et si Abraham refuse catégoriquement toute rétribution pour son intervention, n'est-ce pas plutôt qu'il fait face à un dilemme important? En attaquant ces rois, il a réellement levé la main sur «Baal Hammourabi», «le Élohim Très-haut, possesseur des cieux et de la terre». Il choisit de s'en sortir avec tact et

---

108   La version King James traduit par «*I have lift up mine hand unto the Lord*» qui fait encore davantage référence à l'expression «lever la main sur quelqu'un»

diplomatie: l'important est de sauver l'honneur et de ramener son neveu Lot, non de s'enrichir aux dépens de ce seigneur. Il est donc plus sage d'éviter de se placer en conflit d'intérêts en restituant les biens volés.

En résumé

- Il y aura deux assauts contre Sodome. Le premier répond à des objectifs essentiellement commerciaux. Mais selon la théologie classique, le deuxième est l'œuvre de «Dieu». Nous croyons plutôt qu'ils poursuivent tous deux le même objectif.

- Les gens de Sodome et de Gomorrhe se révoltent après 12 ans d'une servitude imposée par Kedor-Laomer.

- Amraphel, Arioc, Tidhal s'allient à Kedor-Laomer pour les mater et ils emportent les vivres et les hommes.

- Ces rois sont peut-être respectivement Hammourabi, Eriaku (Rim-Sin), Tudhaliya et Siwe Palar Khuppak qui ont vécu au XVIIIᵉ siècle AEC. Hammourabi se révélera plus tard être «Baal».

- Abraham lève une armée de 318 hommes et part aux trousses des rois. Il «frappe» Baal et récupère les personnes et les biens.

- Abraham refuse toute rétribution parce qu'il ne veut pas s'enrichir aux dépens de Baal.

La montée en puissance de Hammourabi

Selon nous, la guerre des Rois n'est que le prélude de la montée en puissance de Hammourabi. Voici comment les événements auraient pu se produire :

De retour à Babylone après avoir participé à la guerre des Rois en compagnie de Kedor-Laomer, Hammourabi doit faire face à un complot; Le roi d'Élam cherche maintenant à se défaire de Hammourabi. Habile diplomate, Hammourabi fera alliance avec le roi de Larsa pour déjouer le complot. Mais comme cet allié n'est pas sûr, Hammourabi choisit de s'en débarrasser. Entraîné malgré lui dans une joute à finir, Hammourabi étend son contrôle sur les royaumes voisins et établit ainsi les bases de l'empire babylonien.

Cette hypothèse s'harmonise-t-elle avec ce que l'histoire nous apprend?

Lorsqu'il hérite du trône, Hammourabi conquiert facilement les royaumes rapprochés d'Isin et d'Uruk (1786). Il se préoccupe ensuite d'améliorer les infrastructures du royaume et ce n'est que beaucoup plus tard, lors de sa 26e année de règne, qu'il s'engage dans des conquêtes expansionnistes, sans doute à la suite des manœuvres instiguées par le roi d'Élam. Au cours de sa 28e année de règne, Hammourabi défait Élam et dans sa 29e année, il s'empare de Larsa après la défaite de Rim-Sin (Eriaku). Poursuivant son expansion, il conquiert les royaumes d'Assur et de Mari pour constituer l'empire babylonien et se mériter le prestigieux titre de « roi des quatre régions ».[109]

---

109 Marc Van de Mieroop, *King Hammurabi of Babylon: A Biography*, Blackwell Publishing, 2005

Compilées dans le tableau suivant, voici les dates que l'histoire nous transmet :

Événement	Date	Année
Naissance de Hammourabi[110]	-1810	-18
Hammourabi devient roi de Babylone	-1792	0
Hammourabi conquiert les royaumes d'Isin et d'Uruk	-1786	8
Période correspondant à l'amélioration des structures locales : 1786 à 1767		
Le royaume d'Élam domine les plaines avoisinantes	-1767	25
Hammourabi conquiert le royaume d'Élam	-1764	28
Hammourabi conquiert le royaume de Larsa (Rim-Sin)	-1763	29
Hammourabi conquiert le royaume de Mari	-1761	31
Rédaction du Code de Hammourabi (date approximative)	-1760	32
Décès de Hammourabi	-1750	42

Voyons comment ces données se juxtaposent aux informations de la Bible.

Source	Événement	Bible	6/10
Gn 12:4	Âge d'Abraham lorsqu'il sort de Charan (entre en Canaan)	75	45
	Période correspondant à la guerre des Rois : 45 à 52 ans		
Gn 16:16	Âge d'Abraham à la naissance d'Ismaël	86	52
Gn 17:25	Différence d'âge entre Ismaël et Isaac	14	8
Gn 17:17	Âge de Sarah à la naissance d'Isaac	90	54
Gn 21:5	Âge d'Abraham à la naissance d'Isaac	100	60
	Période correspondant au sacrifice d'Ismaël : 60 à 76 ans		
Gn 23:1	Longévité de Sarah	127	76
Gn 25:07	Longévité d'Abraham	175	105

---

110   Frank Northen Magill, *Great Events from History II.: Human Rights*, Published by Salem Press, 1992, p. 2169

Ces données bibliques, ainsi que leur chronologie, permettent de déduire que la guerre des Rois a eu lieu après l'entrée d'Abraham en Canaan, mais avant la naissance d'Ismaël. Abraham devait donc avoir entre 45 et 52 ans.

Nous avons vu précédemment qu'en juxtaposant la généalogie d'Abraham à la prise de pouvoir des Amorrites en Mésopotamie, on apprend que Hammourabi et Abraham sont contemporains.

Du point de vue biblique, on sait que la guerre des Rois n'a pu survenir avant qu'Abraham entre en Canaan. Or on sait également qu'il a 45 ans à ce moment. En posant la prémisse qu'il est né en 1810, on peut donc situer l'entrée en Canaan en 1765 (=1810-45).[111] Par ailleurs, comme cette guerre se situe chronologiquement avant la naissance d'Ismaël, elle ne peut se poursuivre après celle-ci. Comme Abraham a 52 ans à la naissance d'Ismaël, cette guerre doit se terminer avant 1758 (=1810-52). Donc, si Abraham est né en 1810, la guerre des Rois doit avoir eu lieu entre 1765 et 1758.

Les années 1765 et 1758 correspondent respectivement aux 27e et 34e années de règne de Hammourabi, périodes durant lesquelles Hammourabi s'emploie à étendre son empire.

Si Élam s'est allié à ses adversaires dans la guerre des Rois dans le but non avoué de les attaquer par la suite, l'histoire confirme qu'il sera défait par Hammourabi en 1764. Les informations connues sur Rim-Sin (Eriaku) permettent d'établir un lien avec Arioc. En effet, pour que Rim-Sin ait pu participer à cette guerre, elle aurait dû forcément avoir lieu avant sa capture par Hammourabi en 1763. Comme celle-ci est bien documentée, nous croyons que cette donnée est suffisamment fiable pour être retenue. Notre champ de possibilités ainsi réduit nous autorise à situer entre cette guerre à la fin de 1765 ou au début de 1764, soit la 27e et 28e années de règne de Hammourabi.

---

111   Rappelons que s'il est nécessaire de *soustraire* plutôt que d'*additionner*, c'est que la période couvrant ces événements se situe avant l'ère courante (AEC).

La marge d'erreur qui en résulte est très faible, mais concorde parfaitement avec les données historiques. Nous verrons que les conclusions relatives à cette guerre et à la période où elle s'est déroulée ne peuvent dévier de façon significative.

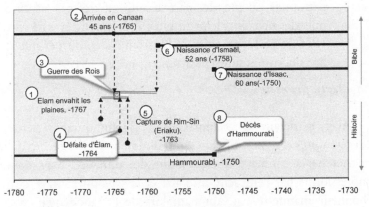

25: La guerre des Rois

Posons l'hypothèse qu'Abraham et Hammourabi sont nés la même année, soit en 1810. Il en résulte un croisement de possibilités pour la guerre des Rois (3) : Abraham devait avoir entre 45 (2) et 52 ans (6). Pour sa part, Hammourabi n'aurait pu y participer qu'après le coup d'envoi des nouvelles conquêtes d'Élam (1) mais avant la défaite de celui-ci (4) ainsi que la capture de Eriaku-Rim-Sin (5).

En résumé

- Ce n'est que vers la 25e année de son règne que Hammourabi s'engage dans des poussées expansionnistes, suite aux manœuvres provocatrices du royaume d'Élam.

- Le roi d'Élam n'aurait pu participer à cette guerre en compagnie de Hammourabi après avoir été défait par lui lors de la 28e année de règne.

- Eriaku (Rim-Sin) ne pouvait participer à cette guerre en compagnie de Hammourabi après avoir été capturé lors de la 29e année de règne de ce dernier.

- Abraham a 45 ans quand il arrive en Canaan et 52 ans à la naissance d'Ismaël. Il y a donc une plage de sept ans durant lesquels il aurait pu participer à cette guerre.

- Si Abraham était né six ans plus tôt ou un an plus tard, il n'aurait pu prendre part à cette guerre, car les chronologies ne coïncideraient plus. Il doit donc être né entre 1816 et 1809. La suite de l'histoire va confirmer que les deux hommes sont effectivement nés en 1810.

La « terre promise »

Avec la défaite de Kedor-Laomer, Hammourabi « hérite » des territoires éloignés d'Élam, dont Sodome et Gomorrhe, qu'il va chercher à confier à une personne de confiance. Sans doute impressionné par l'efficacité militaire et le sens du courage et de l'honneur manifesté par Abraham lors de l'attaque qu'il mène pour ramener Lot, Hammourabi sait qu'il est préférable de négocier une bonne entente et de s'assurer l'absolue loyauté de cet homme de valeur plutôt que de chercher à le combattre.

Dans *The Bible Unearthed*, les archéologues Israel Finkelstein et Neil Asher Silberman soulignent qu'une inscription égyptienne datée du XIXe siècle AEC relate les exploits du général Khu-Sebek et atteste de l'existence des « terres » de Shechem (Sichem) et d'Hébron. Celles-ci sont effectivement les deux villes principales dans lesquelles séjourne Abraham. Les auteurs précisent que Shechem y représente déjà le pivot économique d'une vaste entité territoriale.[112]

Hammourabi sait qu'il a besoin d'un allié fort dans la région : cette alliance est primordiale pour assurer une relation stable et un lien commercial entre Sumer et l'Égypte.

---

112   Israel Finkelstein, Neil Asher Silberman, *The Bible Unearthed*, Simon & Schuster, 2002, p. 155

*Gn 15:1 Après ces choses, la parole de «Baal» fut adressée à Abram **dans une vision**, disant: Abram, ne crains point; moi, je suis ton bouclier et ta très grande récompense.*

Il convient ici d'interpréter le terme «vision» comme un «message sur tablette» à révéler par un scribe plutôt qu'une soi-disant «inspiration» d'origine divine telle que proposée par l'interprétation théologique classique.

Gn 15:7 Et il lui dit: Moi, je suis «Baal», qui t'ai fait sortir d'Ur des Chaldéens, afin de te donner ce pays-ci pour le posséder.

...

Gn 15:18 En ce jour-là, «Baal» fit une alliance avec Abram, disant: Je donne ce pays à ta semence, depuis le fleuve d'Égypte jusqu'au grand fleuve, le fleuve Euphrate:

Gn 15:19 le Kénien, et le Kénizien, et le Kadmonien,

Gn 15:20 et le Héthien, et le Phérézien, et les Rephaïm,

Gn 15:21 et l'Amoréen; et le Cananéen, et le Guirgasien, et le Jébusien.

Si certains sionistes ont vu dans cette alliance le territoire «classique» élargi, aucune mention de la région de Shinhar (Sumer) n'y apparaît. Cherchant simplement à étendre son influence dans les régions éloignées, Hammourabi n'aurait jamais confié à un gouverneur la région immédiate sur laquelle il régnait. Il cherchait plutôt à étendre son influence par-delà ses frontières.

Le texte qui se poursuit un peu plus loin apporte davantage de précisions:

*Gn 17:8 **Et je te donne, et à ta semence après toi, le pays de ton séjournement, tout le pays de Canaan, en possession perpétuelle, et je serai leur Élohim.***

Gn 17:9 Et «Baal» dit à Abraham: Et toi, tu garderas mon alliance, toi et ta semence après toi, en leurs générations.*

---

*   Elohim dans le texte original

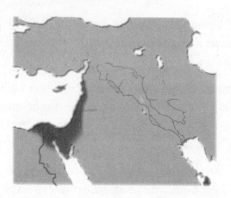

26: La « terre promise » dans l'Alliance

Il semble donc beaucoup plus réaliste de limiter cette alliance à la région de Canaan dans le Levant : celle-ci correspond toujours à la description « *depuis le fleuve d'Égypte jusqu'au grand fleuve, le fleuve Euphrate* » et se limite à un territoire qui n'était pas directement contrôlé par Hammourabi.

Par ailleurs, il est sans doute raisonnable de croire que la mention « *le fleuve Euphrate* » dans Gn 15:18 a été ajoutée a posteriori dans le texte, le « *grand fleuve* » étant vraisemblablement le Jourdain. En effet, la partie nord de ce fleuve semble plutôt avoir été confiée à Nakhor, frère d'Abraham, ainsi qu'à ses descendants Béthuel et Laban (le Liban actuel). Cette thèse viendrait renforcer l'idée que leur père Térakh ait été un gouverneur au service de la dynastie.

La « terre promise » correspondrait ainsi davantage au territoire contrôlé par Abraham et ses descendants, territoire que les tribus d'Israël vont chercher à reconquérir après l'Exode.

En sécurisant cette zone tampon, Hammourabi s'assure d'une plus grande stabilité dans la région. Abraham va pouvoir veiller au respect et à l'application de son Code de lois ainsi qu'à la perception des impôts.

Naissance d'Ismaël

Hammourabi offre donc sa protection à Abraham en échange de sa loyauté. Mais il faut encore régler la question de la légitimité de la succession, car l'Alliance qu'Abraham vient de conclure avec Hammourabi n'aurait que très peu de valeur sans un héritier reconnu et légitimé par lui. Il est donc important d'établir un pacte qui transcendera les générations et garantira la stabilité dans la région.

> *Gn 15:2 Et Abram dit: Seigneur Élohim, que me donneras-tu? Je m'en vais sans enfants, et l'héritier de ma maison, c'est Éliézer de Damas.*

> *Gn 15:3 Et Abram dit: Voici, tu ne m'as pas donné de postérité; et voici, celui qui est né dans ma maison est mon héritier.*

> *Gn 15:4 Et voici, la parole de «Baal» vint à lui, disant: Celui-ci ne sera pas ton héritier; mais **celui qui sortira de tes entrailles, lui, sera ton héritier.***

Abraham n'a jamais eu d'enfants avec sa femme Sarah. En parlant avec Abimélec, il nous apprend la nature de sa relation avec sa demi-sœur:

> *Gn 20:12 Et aussi, à la vérité, **elle est ma sœur, fille de mon père; seulement, elle n'est pas fille de ma mère, et elle est devenue ma femme.***

En restreignant le lignage au sein d'une même famille, la pratique de l'endogamie permet d'éviter les réclamations de droit à l'héritage par les parties extérieures. C'est pourquoi l'endogamie est pratique courante dans les royautés et autres familles de pouvoir.[113] Il n'est pas surprenant que les liens de consanguinité entre Abraham et sa demi-sœur Sarah aient eu un effet négatif sur la fécondité du couple.

---

113 A. Van Selms, *Marriage and Family Life in Ugaritic Literature*, Luzac, 1954, p. 18

Sarah propose donc à Abraham d'assurer sa descendance en utilisant son esclave. Il était en effet acceptable, pour un couple infertile, de recourir aux « services » d'une esclave.

Gn 16:1 Et Saraï, femme d'Abram, ne lui donnait pas d'enfant ; et elle avait une servante égyptienne, et son nom était Agar.

*Gn 16:2 Et Saraï dit à Abram : Tu vois que Élohim[114] m'a empêchée d'avoir des enfants ; **va, je te prie vers ma servante** ; peut-être me bâtirai-je une maison par elle. Et Abram écouta la voix de Saraï.*

Gn 16:3 Et Saraï, femme d'Abram, prit Agar, l'Égyptienne, sa servante, après qu'Abram eut demeuré dix ans au pays de Canaan, et la donna à Abram, son mari, pour femme.

*Gn 16:4 **Et il vint**[115] **vers Agar, et elle conçut** ; et elle vit qu'elle avait conçu, et sa maîtresse fut méprisée à ses yeux.*

Si l'on accepte notre chronologie, on peut déduire qu'Ismaël vient au monde en 1758, alors qu'Abraham a 52 ans, soit huit ans avant la mort de Hammourabi. Mais l'enfant qu'Agar donne à Abraham devient rapidement source d'inquiétude. En effet, le fils d'une Égyptienne pose problème lorsqu'il s'agit d'assurer la succession d'une dynastie amorrite.

*Gn 16:5 Et Saraï dit à Abram : Le tort qui m'est fait est sur toi : moi, je t'ai donné ma servante dans ton sein ; et **elle voit qu'elle a conçu, et je suis méprisée à ses yeux.** « Baal » jugera entre moi et toi !*

Et le Code de loi de Hammourabi prévoit le cas :

§ 146. Si un homme a pris une épouse, et si celle-ci a donné à son mari une esclave qui lui procrée des enfants ; si ensuite cette esclave rivalise avec sa maîtresse, parce qu'elle a donné des

---

114 Yahvé dans le texte original, mais il fait clairement référence à la superstition de Dieu

115 Utilisation de la litote « aller vers » pour signifier « mettre enceinte »

enfants, sa maîtresse ne peut plus la vendre; elle lui fera une marque et la comptera parmi les esclaves.[116]

Un enfant pour Sarah

Hammourabi accorde encore quelques années de répit à Abraham pour que celui-ci puisse obtenir un descendant de Sarah. Malheureusement, le lien de consanguinité qui les unit semble les avoir rendus infertiles. Voyant que Sarah avance en âge, il confie à Abraham qu'il s'occupera lui-même de lui donner un enfant.

> *Gn 17:16 Et je la bénirai, et même **je te donnerai d'elle un fils**; et je la bénirai, et elle deviendra des nations; des rois de peuples sortiront d'elle.*

Donc, ce n'est plus Abraham, mais bien Sarah qui assurera désormais la descendance.

> *Gn 17:17 Abraham tomba sur sa face, et il rit et dit en son cœur: **Naîtrait-il un fils à un homme âgé de cent ans?** et Sarah, âgée de quatre-vingt-dix ans, enfanterait-elle?*

Ce passage important nous informe que le géniteur d'Isaac a «cent ans», c'est-à-dire 60 ans (=100x6/10). Mais ce verset peut être compris de deux façons fort différentes:

- L'interprétation théologique classique conclut qu'Abraham a «cent ans». Le passage Gn 21:5 annonçant la naissance d'Isaac 9 mois plus tard confirme qu'il a cet âge à la naissance d'Isaac, d'où l'origine de la confusion.

- Mais la relecture que nous proposons nous amène à un constat fort différent. Comme Abraham sait très bien que Hammourabi est le géniteur d'Isaac, c'est de ce dernier dont il est ici question. C'est donc Hammourabi qui a «cent ans» lorsqu'il engendre Isaac (60 ans en 6/10). Par

---

116   Jean-Vincent Scheil, *La loi de Hammourabi (vers 2000 av. J.-C.)*, E. Leroux, 1904

ailleurs, Gn 21:5 confirme qu'Abraham a également cent ans à la naissance d'Isaac.

Cette interprétation est capitale, car elle prouve qu'Abraham a le même âge que Hammourabi. Si ce dernier est né en 1810, Abraham aussi est né cette année-là. Par ailleurs, cette donnée ne peut être le résultat du hasard, car la chronologie de nombreux événements confirme qu'Abraham est né aux environs de 1810.

En voyant Hammourabi résolu à régler lui-même le problème, Abraham l'implore :

Gn 17:18 Et Abraham dit à «Baal*»: Oh, qu'Ismaël vive devant toi!

On comprend qu'Abraham soit maintenant inquiet du sort qui sera réservé à son fils Ismaël.

Gn 17:19 Et «Baal» dit: Certainement Sarah, **ta femme, t'enfantera un fils**; et tu appelleras son nom Isaac; et **j'établirai mon alliance avec lui**, comme alliance perpétuelle, pour sa semence après lui.*

Gn 17:20 Et, à l'égard d'Ismaël, je t'ai exaucé: voici, je l'ai béni, et je le ferai fructifier et multiplier extrêmement; il engendrera douze chefs, et je le ferai devenir une grande nation.

Gn 17:21 Mais mon alliance, je l'établirai avec Isaac, que Sarah t'enfantera en cette saison, l'année qui vient.

Gn 17:22 Et ayant achevé de parler avec lui, «Baal*» monta d'auprès d'Abraham.

*Gn 17:23 Et Abraham prit Ismaël, son fils, et tous ceux qui étaient nés dans sa maison, et tous ceux qui avaient été achetés de son argent, tous les mâles parmi les gens de la maison d'Abraham, et **il circoncit la chair de leur prépuce en ce même jour-là, comme «Baal*» lui avait dit.***

---

*   Elohim dans le texte original

Après qu'Abraham ait accepté de se faire circoncire pour sceller l'Alliance, Hammourabi s'enquiert de Sarah.

Gn 18:9 **Et ils lui dirent: Où est Sarah, ta femme? Et il dit: Voici, dans la tente.**

Gn 18:10 Et il dit: Je reviendrai certainement vers toi quand son terme sera là, et voici, Sarah, ta femme, aura un fils. Et Sarah écoutait à l'entrée de la tente, qui était derrière lui.

Gn 18:11 Or Abraham et Sarah étaient vieux, avancés en âge; Sarah avait cessé d'avoir ce qu'ont les femmes.

Gn 18:12 Et Sarah rit en elle-même, disant: Étant vieille, aurai-je du plaisir?... **mon seigneur aussi est âgé.**

Ici, Chouraqui traduit le mot «seigneur» par «Adon» qui fait plus clairement référence à Baal.[117] Par ailleurs, la traduction anglaise de King James mentionne explicitement «Lord». C'est donc bien Hammourabi qui s'offusque que Sarah mette en doute sa virilité.

Gn 18:13 Et «Baal*» dit à Abraham: Pourquoi Sarah a-t-elle ri, disant: Est-ce que vraiment j'aurai un enfant, moi qui suis vieille?

Gn 18:14 Y a-t-il quelque chose qui soit trop difficile pour «Baal*» Au temps fixé **je reviendrai vers toi**, *quand son terme sera là, et* **Sarah aura un fils.**

Il est clair que c'est Sarah qui aura un fils, plutôt qu'Abraham. Ce n'est que quelques versets plus loin que l'histoire se poursuit. Il semble que certains passages aient été interchangés, comme nous le verrons plus tard.

Gn 21:1 **Et «Baal*» visita Sarah comme il avait dit, et «Baal*» fit à Sarah comme il en avait parlé.**

---

117   Chouraqui transcrit généralement Yahvé par IHVH-Adonaï

*   Elohim dans le texte original

Il convient ici de noter l'utilisation de l'euphémisme «visiter» – qui à le même sens que «aller vers» pour signifier «mettre enceinte».[118]

> *Gn 21:2 Et Sarah conçut, et enfanta à Abraham un fils dans sa vieillesse, au temps fixé dont «Baal*» lui avait parlé.*

Situation on ne peut plus explicite: Hammourabi va à la rencontre de Sarah et la met enceinte dans la tente. Isaac naîtra neuf mois plus tard.

> *Gn 21:3 Et Abraham appela le nom de son fils qui lui était né, que Sarah lui avait enfanté, Isaac.*

> *Gn 21:4 Et Abraham circoncit Isaac, son fils, à l'âge de huit jours, comme «Baal*» le lui avait commandé.*

> *Gn 21:5 Et Abraham était âgé de cent ans lorsque Isaac, son fils, lui naquit.*

Comme Abraham a «cent ans» (60 ans en 6/10) lorsqu'Isaac vient au monde et que Hammourabi est mort en 1750, on déduit que Hammourabi est mort l'année de la naissance d'Isaac (=1810-60). Il n'est donc pas certain que Hammourabi était toujours vivant lors de la venue au monde d'Isaac.

Pour en finir avec Sodome

Selon l'interprétation théologique classique, Dieu décime Sodome et Gomorrhe dans le but de punir les «mécréants». Mais pourquoi «Dieu» intervient-il avec tant d'acharnement pour détruire la ville? Est-ce vraiment un hasard si cette destruction survient peu de temps après que Hammourabi et ses alliés aient subi un humiliant revers qui a laissé impunie la cité rebelle? N'est-ce pas plutôt une autre «preuve» que Hammourabi, fort d'une nouvelle alliance avec Abraham, retourne à Sodome et en profite pour asseoir son autorité sur les habitants qui cherchent toujours à se révolter?

---

118   Voir un autre exemple à Gn 16:4
*   Elohim dans le texte original

Il serait utile de faire un bref retour en arrière afin de mieux comprendre la suite logique des événements.

Tel que le démontre l'analyse détaillée du récit de la Guerre des Rois présentée en début de la Deuxième Partie, les quatre rois battent finalement en retraite malgré une attaque «réussie» contre Sodome. Abraham poursuit le roi d'Élam, Kedor-Loamer, ainsi que ses alliés. Il les vainc et récupère biens et personnes, sans oublier son neveu Lot. C'est grâce à Abraham que les habitants de Sodome s'en tirent relativement bien.

C'est également à la suite de cette défaite qu'a lieu la montée en puissance de Hammourabi et a la chute du roi d'Élam. On imagine que les rois de Sodome et des territoires éloignés du Levant ont perçu dans cette réorganisation géopolitique de la Mésopotamie l'occasion idéale de s'affranchir!

Mais l'Alliance conclue entre Abraham et Hammourabi va permettre au nouveau maître de Babylone de conserver le contrôle sur cette région éloignée. Les rumeurs qui parviennent jusqu'à Babylone confirment que l'agitation menace de gagner toute la région. Il devient donc urgent d'organiser une campagne militaire et d'écraser tout mouvement de révolte pour l'exemple : bref, il faut en finir avec Sodome.

Dans l'ordre chronologique classique de l'histoire biblique, la destruction de cette ville survient après la naissance d'Isaac. Sans toutefois changer la valeur de la présente démonstration, nous croyons que cette histoire devrait logiquement se retrouver plus tôt dans le récit, soit immédiatement après qu'Abraham ait conclu l'Alliance. D'autres preuves seront avancées plus tard à cet effet.[119]

À ce moment du récit, Hammourabi est en campagne et s'apprête à détruire la ville. Mais se souvenant des intérêts d'Abraham dans cette région, il hésite :

---

119   Voir le chapitre Isaac et les tablettes perdues

Gn 18:16 Et les hommes se levèrent de là, et regardèrent du côté de Sodome; et Abraham allait avec eux pour leur faire la conduite.

Gn 18:17 **Et « Baal » dit: Cacherai-je à Abraham ce que je vais faire,**

Gn 18:18 puisque Abraham doit certainement, devenir une nation grande et forte, et qu'en lui seront bénies toutes les nations de la terre?

Gn 18:19 **Car je le connais, et je sais qu'il commandera à ses fils et à sa maison** *après lui de garder la voie de « Baal », pour pratiquer ce qui est juste et droit, afin que « Baal* » fasse venir sur Abraham ce qu'il a dit à son égard*

Lot habite toujours la région de Sodome. En raison du pacte qu'il vient de conclure avec Hammourabi, Abraham sait qu'il ne pourra plus utiliser la force contre lui. Il cherche donc un moyen plus diplomatique de le dissuader d'attaquer Sodome. Connaissant le souci de justice de Hammourabi, il essaie de le raisonner: une partie des habitants de la cité songent toujours à se soulever (les méchants) mais les autres (les justes) sont déjà résignés à accepter ce nouveau maître et ses lois.

Gn 18:20 Et « Baal » dit: Parce que le cri de Sodome et de Gomorrhe est grand, et que **leur péché**[120] **est très aggravé,** *et bien,*

Gn 18:21 je descendrai, et je verrai s'ils ont fait entièrement selon le cri qui est venu jusqu'à moi; et sinon, je le saurai.

Gn 18:22 Et les hommes se détournèrent de là, et ils allaient vers Sodome; et Abraham se tenait encore devant « Baal* ».

---

120   Chouraqui traduit sans doute plus justement par «faute», mot plus neutre qui ne comporte pas de connotation religieuse.

*   Elohim dans le texte original

Bon diplomate, Abraham sait que l'usage abusif de la force risque d'avoir un effet négatif sur la perception que les autres cités auront d'une autorité centrale impitoyable. Ne chercheront-elles pas, elles aussi, à se rebeller?

> *Gn 18:23 Abraham s'approcha, et dit:* **Feras-tu aussi périr le juste avec le méchant?**

> *Gn 18: 24 Peut-être y a-t-il cinquante justes au milieu de la ville: les feras-tu périr aussi, et ne pardonneras-tu pas à la ville à cause des cinquante justes qui sont au milieu d'elle?*

> *Gn 18: 25* **Faire mourir le juste avec le méchant,** *en sorte qu'il en soit du juste comme du méchant, loin de toi cette manière d'agir! Loin de toi!* **Celui qui juge toute la terre n'exercera-t-il pas la justice?**

Hammourabi se range aux arguments d'Abraham et promet de ne pas détruire la ville s'il y trouve au moins dix «justes». Ici, les notions de «péché», de «justes» et de «méchants» n'ont aucune connotation religieuse ou morale. Les «justes» acceptent cette nouvelle autorité, alors que les «méchants» la rejettent. De plus, les expressions «faire mourir les méchants» et «celui qui juge toute la terre» conviennent parfaitement à Hammourabi car elles correspondent à la description qu'il s'attribue dans le prologue de son Code:

> *Puis, Anu et Bel m'appelèrent par mon nom, Hammourabi, le prince glorieux, qui craint Dieu, et* **m'exhortèrent à instituer l'autorité de la Justice en ce pays, de détruire les méchants et les malfaisants,** *afin que les plus forts ne puissent pas faire de tort aux plus faibles; afin que je gouverne le peuple aux têtes noires à la façon de Shamash, et que j'éclaire le pays afin de favoriser le bien-être de l'humanité.* [121]

Hammourabi envoie donc deux messagers s'enquérir de la situation:

---

121   André Finet, *Le Code de Hammurabi*, Éditions du Cerf, 1983, p. 32

Gn 19: 1 Les deux anges[122] *arrivèrent à Sodome sur le soir; et Lot était assis à la porte de Sodome. Quand Lot les vit, il se leva pour aller au-devant d'eux, et se prosterna la face contre terre.*

Gn 19: 2 Puis il dit: Voici, mes seigneurs, entrez, je vous prie, dans la maison de votre serviteur, et passez-y la nuit; lavez-vous les pieds; vous vous lèverez de bon matin, et vous poursuivrez votre route. Non, répondirent-ils, nous passerons la nuit dans la rue.

Mais sur place, les rebelles manifestent de l'agressivité envers ces étrangers:

*Gn 19:5 Et ils appelèrent Lot, et lui dirent: Où sont les hommes qui sont entrés chez toi cette nuit? **Fais-les sortir vers nous, afin que nous les connaissions.***

Dans ce contexte, le verbe «connaître» (en hébreu, «ידע», *yadā*) serait ici un euphémisme signifiant «avoir des rapports sexuels».[123] Mais loin de rechercher un quelconque plaisir charnel, il semble plutôt que les habitants aient voulu humilier ces représentants du pouvoir central en leur faisant sentir la «soumission», à l'image de celle qu'ils ressentaient eux-mêmes en tant que vassaux. Car si l'homosexualité se pratique à Sodome, elle est acceptée et pratiquée dans la plupart des villes de l'Antiquité, y compris à Babylone.[124]

*Gn 19:8 Voici, j'ai deux filles qui n'ont point connu d'homme; laissez-moi les faire sortir vers vous, et **faites-leur comme il vous plaira. Seulement, à ces hommes ne faites rien,** car c'est pour cela qu'ils sont venus à l'ombre de mon toit.*

---

122 Le terme «ange» vient du grec «αγγελος» qui signifie «qui fait office de messager». Le Pentateuque ne fait aucune mention des ailes qui leur ont été rajoutées bien plus tard. Voir: *La Civiltà Cattolica*, 3795-3796, 2-16 Août 2008, pp. 327-328

123 Victor P. Hamilton, *The Book of Genesis: Chapters 18-50*, Wm. B. Eerdmans Publishing, 1995, p. 34

124 David F. Greenberg, *The Construction of Homosexuality*, University of Chicago Press, 1988, p. 126

*Gn 19:9 Et ils dirent: Retire-toi! Et ils dirent: **Cet individu est venu pour séjourner ici et il veut faire le juge!** Maintenant nous te ferons pis qu'à eux. Et ils pressaient beaucoup Lot, et s'approchèrent pour briser la porte.*

Les villageois accusent Lot d'être de connivence avec Hammourabi et de vouloir faire respecter ses lois.

Gn 19:10 Et les hommes étendirent leurs mains et firent entrer Lot vers eux dans la maison, et fermèrent la porte.

Quel genre d'homme Lot est-il pour «donner» ainsi ses filles en pâture? Il semble qu'il ne réponde qu'à des impératifs politiques supérieurs. Mais les habitants de Sodome n'ont que faire des filles de Lot car ce qu'ils revendiquent, c'est le droit à l'honneur, à la liberté et à l'indépendance. C'est donc en «sodomisant» les messagers de Hammourabi qu'ils choisissent d'envoyer un message clair et de défier cette autorité centrale à laquelle ils refusent de se soumettre.

Insultés au plus haut point par cet affront, les messagers font part à leur maître de l'état de révolte de la population. Constatant qu'il sera impossible de soumettre ces «méchants», Hammourabi comprend qu'il doit intervenir avec force pour l'exemple: il presse Lot de partir avec sa famille et détruit la ville sans autre forme de procès.

N'est-il pas surprenant qu'on n'ait pas encore trouvé trace de Sodome et de Gomorrhe à ce jour? Dans son livre «*From Eden to Exile*», Eric Cline mentionne que Rast et Shaub ont entrepris des fouilles dans cette région et qu'ils y auraient découvert les restes de deux villes, Bad edh-Dhra et Numeira, qui pourraient éventuellement correspondre à Sodome et Gomorrhe, mais de façon non concluante.[125] Si aucune identification positive n'a encore été possible, rien n'exclut cependant le fait que ces villes aient véritablement existé. En regard de la présente relecture,

---

125   Eric H. Cline, *From Eden to Exile*, National Geographic, 2007, p. 45

répétons que la Bible doit être perçue comme un témoin important de l'histoire, au même titre que les inscriptions retrouvées lors des fouilles archéologiques.

Ismaël représente une menace

À mesure qu'Isaac et Ismaël grandissent, la tension monte au sein de la maison. Car, si Isaac est de lignée plus «pure», Ismaël demeure non seulement le véritable fils d'Abraham, mais également le premier-né, donc celui qui pourrait légalement lui succéder. En revanche, Sarah, mère de l'héritier désigné, entend protéger «son» fils Isaac, le fils de Hammourabi.

> *Gn 21:10* **Chasse cette servante et son fils; car le fils de cette servante n'héritera pas avec mon fils, avec Isaac.**

> *Gn 21:11 Et cela fut très mauvais aux yeux d'Abraham, à cause de son fils.*

Il est intéressant de noter que le Code de Hammourabi établit avec précision les droits des héritiers conçus par une esclave :

> *§ 170. Si une épouse a donné des enfants à un homme et si une esclave de cet homme lui a aussi donné des enfants, si, de son vivant, le père a dit aux enfants que l'esclave lui a donnés : "vous êtes mes enfants», et les a comptés parmi les enfants de l'épouse, si ensuite le père meurt, les enfants de l'épouse et les enfants de l'esclave partageront à parts égales la fortune mobilière de la maison paternelle : les enfants qui sont les enfants de l'épouse choisiront dans le partage et prendront.*[126]

Très attaché à son fils unique, Abraham ne peut le renier. Mais voilà que Hammourabi tranche. Pour rassurer Abraham, il lui promet de prendre bien soin d'Ismaël.

---

126 Jean-Vincent Scheil, *La loi de Hammourabi (vers 2000 av. J.-C.)*, E. Leroux, 1904

Gn 21:12 Et «Baal» dit à Abraham: Que cela ne soit pas mauvais à tes yeux à cause de l'enfant, et à cause de ta servante. Dans tout ce que Sarah t'a dit, écoute sa voix: **car en Isaac te sera appelée une semence.***

*Gn 21:13 Et je ferai aussi devenir une nation le fils de la servante, **car il est ta semence.***

Il est intéressant de noter la subtile différence dans le choix des termes: en parlant d'Isaac, «il **te sera appelée** une semence» alors qu'en parlant d'Ismaël, «il est **ta semence**». Isaac n'est pas le véritable fils d'Abraham, mais plutôt le fils par lequel la descendance sera assurée.

Le test de loyauté

Dans l'histoire des religions monothéistes, le test de loyauté représente le sacrifice ultime qui témoigne de la foi aveugle et de la soumission absolue d'Abraham envers son Dieu.

Gn 22:1 Et il arriva, après ces choses, que «Baal*» éprouva Abraham, et lui dit: Abraham!

Gn 22:2 Et il dit: Me voici. Et «Baal» dit: **Prends ton fils, ton unique, celui que tu aimes**, Isaac, et va-t'en au pays de Morija, et là offre-le en holocauste, sur une des montagnes que je te dirai.*

Ce passage essentiel vient remettre en question notre hypothèse. En effet, il apparaît tout à fait illogique que Baal exige d'Abraham qu'il sacrifie Isaac, car du même coup, c'est le sacrifice de l'héritier désigné qu'il demanderait. Il ne peut donc s'agir que d'Ismaël. Car on veut s'assurer qu'Abraham sera loyal et ne donnera pas la succession à ce fils d'Égyptienne.

Plusieurs lecteurs de la Bible restent perplexes devant l'expression «*Prends ton fils, ton unique*» quand on l'applique à Isaac car on sait qu'Ismaël est né avant lui. Par contre, l'expression

---

*   Elohim dans le texte original

se comprend mieux quand elle désigne Ismaël, Isaac étant le fils de Hammourabi, et non d'Abraham. Le seul fils né de la semence d'Abraham, son fils *unique*, est bel et bien Ismaël.

Si juifs et chrétiens croient qu'Isaac est le fils qu'Abraham doit sacrifier, bien d'autres croyants sont convaincus qu'il s'agit plutôt d'Ismaël. En effet, chez les musulmans, il s'agit d'un dogme de foi. Capitale pour l'analyse, cette mésentente entre croyants vient appuyer notre thèse. Bien entendu, une partie de la vérité échappe également aux musulmans, car eux aussi, reconnaissent en Abraham un homme pieux, dévoué à son Dieu, plutôt qu'à son suzerain. C'est pourquoi nous croyons que le nom d'Isaac a été ajouté au texte a posteriori, à des fins partisanes. Le texte original devrait donc se lire:

> *Gn 22:2 Et il dit: Me voici. Et « Baal* » dit: Prends ton fils, ton unique, celui que tu aimes, et va-t'en au pays de Morija, et là offre-le en holocauste, sur une des montagnes que je te dirai.*

Le constat est accablant: Abraham, l'archétype du parfait croyant, apparaît maintenant sous les traits d'un père cupide, prêt à sacrifier le fruit de sa chair dans le seul but de se plier aux exigences de son seigneur pour hériter d'une « terre ».

Comment vérifier cette hypothèse? Une analyse plus poussée des dates entourant cet événement apporte un éclairage supplémentaire. À quel moment précis a eu lieu le test de loyauté? La Bible ne donne aucune précision. Chronologiquement, il se situe quelque part entre la naissance d'Isaac et le décès de Sarah. Or, on sait qu'Isaac est né en 1750 alors que Sarah a 54 ans (Gn 17:17). On sait également qu'elle meurt à l'âge de 76 ans (Gn 23:1), soit 22 ans plus tard en 1728. Le test de loyauté a donc eu lieu entre 1750 et 1728.

Quel événement survient qui motive cette requête extrême? Est-ce uniquement dans le but de légitimer son propre fils, Isaac,

---

*   Elohim dans le texte original

que Baal exige ce sacrifice humain? Tout semble effectivement indiquer que Hammourabi ait mis Abraham à l'épreuve immédiatement après la naissance d'Isaac. Pourtant, une telle demande semble disproportionnée dans le cadre d'une Alliance qui repose sur le respect mutuel et un fort lien de confiance. En effet, cette requête inhumaine aurait tout aussi bien pu se retourner contre Hammourabi si Abraham avait fait volte-face.

Y aurait-il une autre explication plus plausible?

L'histoire nous apprend que Hammourabi meurt en 1750, précisément l'année de la naissance d'Isaac. À sa mort, c'est son fils qui lui succède.

Il semble donc bien plus plausible que ce soit Samsu-iluna, nouveau maître de l'empire babylonien qui ait voulu s'assurer de l'absolue loyauté de l'un de ses gouverneurs, en l'occurrence Abraham.

Samsu-iluna – qui est aussi le demi-frère d'Isaac – a pris le pouvoir au décès de son père et a régné de 1750 à 1712. Souvenons-nous que Hammourabi a pleinement confiance en Abraham. Il peut compter sur lui: il sait qu'il honorera leur entente (Gn 18:19). Mais comme l'Alliance a été conclue entre les deux hommes, rien n'est acquis pour Samsu-iluna. Il est donc fort probable qu'en héritant du trône, ce dernier ait cherché à asseoir son autorité par une démonstration de force en plus de mettre à l'épreuve la loyauté d'un homme fidèle à son père.

L'enjeu était de taille: il fallait s'assurer que la terre de Canaan reste bel et bien sous le contrôle de la famille royale amorrite. Vu sous cet angle, le sang «égyptien» d'Ismaël aurait effectivement pu ouvrir la voie à des revendications venues de l'extérieur, ce qu'il fallait à tout prix éviter. Samsu-iluna fait d'une pierre deux coups: il met à l'épreuve la fidélité de ce gouverneur tout en s'assurant qu'Isaac héritera du pouvoir à la mort d'Abraham.

Durement éprouvé par cette demande, Abraham se résigne et se montre totalement digne de confiance lorsqu'il s'apprête à sacrifier son fils :

> *Gn 22:3 Et Abraham se leva de bon matin et bâta son âne et prit avec lui deux de ses jeunes hommes, et Isaac, son fils ; et il fendit le bois pour l'holocauste, et se leva, et s'en alla vers le lieu que « Baal* » lui avait dit.*

> *Gn 22:4 le troisième jour, Abraham leva ses yeux, et vit le lieu de loin.*

> *Gn 22:5 Et Abraham dit à ses jeunes hommes : Restez ici, vous, avec l'âne ; et moi et l'enfant nous irons jusque-là, et nous adorerons : et nous reviendrons vers vous.*

> *Gn 22:6 Et Abraham prit le bois de l'holocauste, et le mit sur Isaac, son fils ; et il prit dans sa main le feu et le couteau ; et ils allaient les deux ensemble.*

> *Gn 22:7 Et Isaac parla à Abraham, son père, et dit : Mon père ! Et il dit : Me voici, mon fils. Et il dit : Voici le feu et le bois ; mais où est l'agneau pour l'holocauste ?*

> *Gn 22:8 Et Abraham dit : Mon fils, Élohim se pourvoira de l'agneau pour l'holocauste. Et ils allaient les deux ensemble.*

> *Gn 22:9 Et ils arrivèrent au lieu que « Baal* » lui avait dit. Et Abraham bâtit là l'autel, et arrangea le bois, et lia Isaac, son fils, et le mit sur l'autel, sur le bois.*

> *Gn 22:10 Et Abraham étendit sa main et prit le couteau pour égorger son fils.*

> *Gn 22:11 Mais l'Ange[127] de « Baal » lui cria des cieux, et dit : Abraham ! Abraham ! Et il dit : Me voici.*

---

127   L'« ange » est un messager de Baal.

*   Elohim dans le texte original

Gn 22:12 Et il dit : **N'étends pas ta main sur l'enfant, et ne lui fais rien ; car maintenant je sais que tu crains « Baal* », et que tu ne m'as pas refusé ton fils, ton unique.**

Samsu-iluna avait ordonné à son messager d'épargner la vie d'Ismaël au dernier moment si Abraham savait se montrer digne de confiance. Ce geste de générosité témoigne de la perspicacité d'un fin diplomate car il permet de sceller le pacte sous le signe de la confiance et du respect mutuel. On s'imagine aisément qu'Abraham, à la fois fier et soulagé, deviendra pour Samsu-iluna un gouverneur dévoué et reconnaissant.

Cette relation gouverneur-seigneur se poursuivra bien au-delà de la mort d'Abraham car Isaac, Jacob et Joseph entretiennent, eux aussi, une relation de soumission à l'égard des autres « Baal », héritiers de la dynastie.

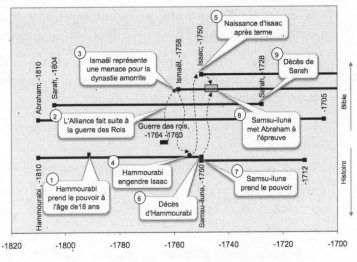

27: Samsu-iluna s'assure de la loyauté d'Abraham

Ce tableau illustre la séquence des événements qui précèdent le test de loyauté. Hammourabi fait alliance avec Abraham à la suite de la guerre des Rois (2). Ismaël vient au monde peu de temps après (3) mais cette naissance pose problème, c'est pourquoi Hammourabi engendre Isaac (4) qui naîtra neuf mois plus tard (5), l'année même du décès de son père (6). Cette mort enclenche le processus d'intronisation de Samsu-iluna (7) qui a tout intérêt à mettre à l'épreuve la loyauté d'Abraham (8). Sarah meurt quelques années plus tard (9).

En résumé

- La défaite du roi d'Élam est l'occasion unique de s'affranchir pour les gens de Sodome.

- Pour assurer le contrôle de cette région éloignée, Hammourabi choisit de faire alliance avec Abraham plutôt que de le combattre.

- En retournant détruire la ville de Sodome pour l'exemple, « Baal » se révèle être Hammourabi.

- Le lien de consanguinité qui les unit semble affecter la fécondité d'Abraham et de sa demi-sœur Sarah.

- Le fils qu'Abraham a eu de sa servante égyptienne représente une menace pour l'hégémonie de la dynastie amorrite.

- Voyant Sarah vieillir sans descendance, Hammourabi réalise que le temps presse. Il se charge donc d'engendrer Isaac, un nouveau « fils » pour Abraham.

- Le décès de Hammourabi survient peu après la naissance d'Isaac.

- Samsu-Iluna, fils de Hammourabi, hérite du trône à la mort de son père. Il veut s'assurer de l'absolue loyauté d'Abraham et exige le sacrifice d'Ismaël, le fils qui pose problème.

- Si Abraham n'était né qu'un an plus tard, les chronologies n'auraient pas permis un tel chevauchement, car Isaac n'aurait pu avoir été conçu par Hammourabi, celui-ci étant déjà mort.

– 7 –

Isaac et les tablettes perdues

C urieusement, la Genèse nous livre très peu de détails sur la vie d'Isaac bien qu'il ait été désigné comme le fils avec lequel Yahvé conclut son Alliance (Gn 17:19).

On ne connaît pour ainsi dire rien de sa jeunesse. Nous savons seulement qu'à la mort de Sarah, Abraham envoie son fidèle serviteur chercher une femme pour son fils :

> *Gn 24:3 et je te ferai jurer par «Baal», l'Élohim des cieux et l'Élohim de la terre, que **tu ne prendras pas de femme pour mon fils d'entre les filles des Cananéens**, parmi lesquels j'habite;*

> *Gn 24:4 mais **tu iras dans mon pays et vers ma parenté**, et tu prendras une femme pour mon fils, pour Isaac.*

Celui-ci revient avec Rebbecca, sœur de Laban et fille de Béthuel :

> *Gn 24:47 Et je l'ai interrogée, et j'ai dit : De qui es-tu fille ? Et elle a dit : **Je suis fille de Bethuel, fils de Nakhor**, que Milca lui a enfanté. Et j'ai mis l'anneau à son nez, et les bracelets à ses mains.*

Par la suite, le Chapitre 25 de la Genèse relate la naissance des enfants du couple, Ésaü et Jacob, mais sans mettre l'emphase sur Isaac.

Une impression de déjà-vu

Ce n'est qu'au Chapitre 26, qui raconte l'histoire d'Isaac et d'Abimélec, que nous en apprenons davantage. Le récit peut se résumer ainsi :

Une famine survient dans le pays. Isaac et sa famille partent s'installer au pays de Guérar. Femme d'une grande beauté, Rébecca est présentée comme la sœur d'Isaac avant d'être enlevée par le roi Abimélec. « Dieu » menace alors le roi qui relâche Rébecca. Abimélec est intimidé, car il craint Isaac et le respecte. S'ensuit une discussion sur les droits d'accès aux puits. Finalement, Isaac fait alliance avec Abimélec et chacun rentre chez soi.

Ce passage du Chapitre 26 offre d'étonnantes similitudes avec les récits des Chapitres 20 et 21, qui eux aussi relatent l'histoire d'Abimélec. Cependant, l'acteur principal de ces Chapitres est Abraham. Il s'agit évidemment de la même histoire, mettant en scène les mêmes protagonistes, qui se répète une génération plus tard. Encore une fois, on est en droit de s'interroger sur la vigilance des exégètes qui n'ont pas cru bon de signaler cette singularité, préférant croire que l'Abimélec d'Isaac serait le fils de l'Abimélec ayant vécu au temps d'Abraham.

Même ceux qui remettent en question l'historicité des Patriarches n'ont pas semblé s'interroger sur cette redondance. Finkelstein se contente ainsi de souligner qu'Abimélec n'aurait pu à la fois être le roi des Philistins et avoir vécu à l'époque du Bronze moyen car ce peuple de la mer ne s'est installé dans la région qu'après 1200.[128]

Examinons plus en détail ces deux récits. Si l'histoire d'Isaac et d'Abimélec est entièrement contenue dans le Chapitre 26, celui d'Abraham et d'Abimélec débute au Chapitre 20, s'interrompt, puis se conclut à la fin du Chapitre 21. C'est sans doute cette

---

128   Israel Finkelstein, Neil Asher Silberman, *The Bible Unearthed*, Simon & Schuster, 2002, p. 37

interruption qui masque la supercherie, même si l'histoire d'Isaac laisse une impression de déjà-vu.

Disposés côte à côte, les textes révèlent mieux leurs similitudes :

Comparatif des récits relatifs à Abimélec		
Événement commun	Récit d'Isaac	Récit d'Abraham
Une famine pousse Abraham – Isaac à séjourner à Guérar.	26:1 Et il y eut une famine dans le pays, outre la première famine qui avait eu lieu aux jours d'Abraham ; et Isaac s'en alla vers Abimélec, roi des Philistins, à Guérar.	20:1 Et Abraham s'en alla de là au pays du midi, et habita entre Kadès et Shur, et séjourna à Guérar.
Abraham – Isaac présente sa femme comme sa sœur. Cette dernière est enlevée par Abimélec.	26:7 Et les hommes du lieu s'enquièrent au sujet de sa femme, et il dit: C'est ma sœur, car il craignait de dire: ma femme ; de peur, pensait-il, que les hommes du lieu ne me tuent à cause de Rebecca, car elle est belle de visage.	20:2 Et Abraham dit de Sara, sa femme: Elle est ma sœur. Et Abimélec, roi de Guérar, envoya, et prit Sara.
Abimélec se sait menacé et accuse Abraham – Isaac de lui avoir menti au sujet de sa femme.	26:10 Et Abimélec dit: Qu'est-ce que tu nous as fait? Car peu s'en est fallu que quelqu'un du peuple n'ait couché avec ta femme, et tu aurais fait venir la coulpe sur nous.	20:9 Abimélec appela Abraham, et lui dit: Que nous as-tu fait? et en quoi ai-je péché contre toi, que tu aies fait venir sur moi et sur mon royaume un grand péché? Tu as fait à mon égard des choses qui ne se doivent pas faire.
Abimélec sait qu'il risque la peine de mort s'il «touche» à une femme mariée.	26:11 Et Abimélec commanda à tout le peuple, disant: Celui qui touchera cet homme ou sa femme sera certainement mis à mort.	20:3 Et Élohim vint vers Abimélec la nuit, dans un songe, et lui dit: Voici, tu es mort à cause de la femme que tu as prise, car elle est une femme mariée.

Comparatif des récits relatifs à Abimélec		
Événement commun	Récit d'Isaac	Récit d'Abraham
Abraham – Isaac négocie l'accès aux puits pour les serviteurs.	26:18 Et Isaac recreusa les puits d'eau qu'on avait creusés aux jours d'Abraham, son père, et que les Philistins avaient bouchés après la mort d'Abraham ; et il leur donna des noms selon les noms que son père leur avait donnés. 26:20 Et les bergers de Guérar contestèrent avec les bergers d'Isaac, disant : L'eau est à nous. Et il appela le nom du puits Ések, parce qu'ils s'étaient disputés avec lui.	21:25 Et Abraham reprit Abimélec à cause d'un puits d'eau dont les serviteurs d'Abimélec s'étaient emparés de force.
Abimélec reconnaît qu'Abraham – Isaac bénéficie de la protection de Baal. Picol est le chef de l'armée d'Abimélec.	26:26 Et Abimélec alla de Guérar vers lui, avec Akhuzzath, son ami, et Picol, chef de son armée. 26:28 Et ils dirent : Nous avons vu clairement que «Baal» est avec toi, et nous avons dit : Qu'il y ait donc un serment entre nous, entre nous et toi ; et nous ferons une alliance avec toi :	21:22 Et il arriva, dans ce temps-là, qu'Abimélec, et Picol, chef de son armée, parlèrent à Abraham, disant ; «Baal» est avec toi en tout ce que tu fais.
Abraham – Isaac promet d'agir en bon gouverneur et de traiter Abimélec et ses descendants avec égard et respect.	26:29 que tu ne nous feras pas de mal, comme nous ne t'avons pas touché, et comme nous ne t'avons fait que du bien, et t'avons renvoyé en paix. Tu es maintenant le béni de «Baal».	21:23 Et maintenant, jure-moi ici, par «Baal», que tu n'agiras faussement ni envers moi, ni envers mes enfants, ni envers mes petits-enfants : selon la bonté dont j'ai usé envers toi, tu agiras envers moi et envers le pays dans lequel tu as séjourné.

Comparatif des récits relatifs à Abimélec		
Événement commun	Récit d'Isaac	Récit d'Abraham
Abraham – Isaac conclut une alliance avec Abimélec.	26:31 Et ils se levèrent de bon matin, et se jurèrent l'un à l'autre ; et Isaac les renvoya, et ils s'en allèrent d'avec lui en paix.	21:32 Et ils firent alliance à Beër-Shéba. Et Abimélec se leva, et Picol, chef de son armée, et ils retournèrent au pays des Philistins.

Il est fort peu probable qu'Isaac ait vécu exactement la même histoire que son père. N'oublions pas que ces écrits ont été consignés sur des tablettes d'argile. Il semble plus logique de croire que certaines auraient tout simplement été égarées, interchangées, voire trop endommagées pour pouvoir être transcrites.

Privés de l'histoire d'Isaac, les scribes ne pouvaient inventer de toutes pièces une histoire « sacrée ». La solution astucieuse consistait peut-être à reprendre celle d'Abraham et à l'adapter pour le fils. Ce stratagème permettait effectivement de légitimer Isaac sans véritablement transgresser la nature sacrée des textes.

Incertains de l'ordre de certaines tablettes, ou interpellés par des similitudes trop flagrantes entre les deux textes, les auteurs de la Bible auront peut-être cherché à entrecouper le récit d'Abraham pour lui donner la forme qu'on lui connaît aujourd'hui. Quoi qu'il en soit, l'impératif premier devait être de conserver une version inaltérée des textes, quitte à bousculer l'ordre des événements. Selon nous, le Chapitre 26 devrait être entièrement retiré, car non conforme au récit d'origine.

Cette observation sur les tablettes manquantes ou déplacées explique sans doute pourquoi certaines sections de la Genèse comportent des ruptures et des incohérences dans le récit. Nous croyons qu'il convient de proposer quelques réaménagements supplémentaires. C'est ainsi qu'en déplaçant et réinsérant quelques sections des Chapitres 18, 19, 20 et 21 entre les Chapitres 15 et 16 (voir figures 27 et 28), le récit de la destruction de Sodome prend tout son sens :

Abraham, nouveau gouverneur, paraît désireux de plaire à ce nouveau maître qui lui rend visite. C'est donc en se prosternant devant lui et en lui offrant l'hospitalité qu'il cherche à lui témoigner le plus grand respect. Hammourabi lui fait part de son intention de détruire Sodome. Abraham cherche à le raisonner pour sauver les habitants. Mais voulant faire un exemple, Hammourabi choisit de détruire Sodome.

L'histoire d'Abimélec devrait se situer juste après que Hammourabi rentre chez lui. Sarah est toujours une belle jeune femme et Abraham, un nouveau gouverneur qui n'a pas encore établi fermement son autorité sur la région. Mais la punition infligée à Sodome suffira à convaincre Abimélec de se soumettre à ce nouveau maître de Babylone et à Abraham, son représentant.

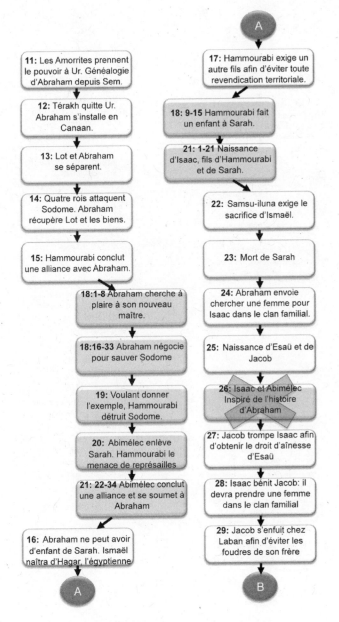

28: La Genèse, revue et corrigée 1/2

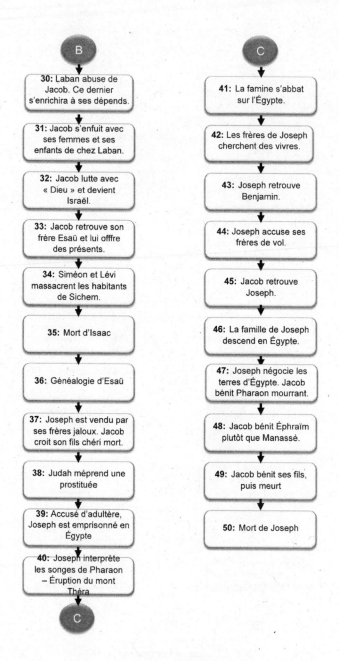

B

30: Laban abuse de Jacob. Ce dernier s'enrichira à ses dépends.

31: Jacob s'enfuit avec ses femmes et ses enfants de chez Laban.

32: Jacob lutte avec « Dieu » et devient Israël.

33: Jacob retrouve son frère Esaü et lui offfre des présents.

34: Siméon et Lévi massacrent les habitants de Sichem.

35: Mort d'Isaac

36: Généalogie d'Esaü

37: Joseph est vendu par ses frères jaloux. Jacob croit son fils chéri mort.

38: Judah méprend une prostituée

39: Accusé d'adultère, Joseph est emprisonné en Égypte

40: Joseph interprète les songes de Pharaon – Éruption du mont Théra

C

C

41: La famine s'abbat sur l'Égypte.

42: Les frères de Joseph cherchent des vivres.

43: Joseph retrouve Benjamin.

44: Joseph accuse ses frères de vol.

45: Jacob retrouve Joseph.

46: La famille de Joseph descend en Égypte.

47: Joseph négocie les terres d'Égypte. Jacob bénit Pharaon mourrant.

48: Jacob bénit Éphraïm plutôt que Manassé.

49: Jacob bénit ses fils, puis meurt

50: Mort de Joseph

29: La Genèse, revue et corrigée 2/2

Non seulement ces déplacements de versets s'insèrent parfaitement dans le récit, mais ils confèrent plus de cohérence et de fluidité aux nouvelles sections. Ainsi le passage important, où Hammourabi revient vers Sarah pour exécuter sa promesse de la mettre enceinte d'Isaac, ne se trouve plus interrompu abruptement par celui d'Abimélec.

Que le lecteur adhère ou non à la thèse voulant qu'Abraham soit l'un des gouverneurs de Hammourabi, ces réaménagements ne modifient en rien la valeur des argumentations précédentes, car ils n'affectent aucunement les dates et les liens précisés dans notre démarche. Leur intérêt tient au fait qu'ils aident à une meilleure compréhension du récit.

La véritable histoire d'Abimélec

L'ordre des tablettes une fois rétabli, il convient de revenir brièvement à la relation qu'Abraham entretient avec Abimélec. Retrouvons Abraham au début du récit de la Genèse, alors que ce nouveau gouverneur doit exercer une certaine forme d'autorité. En tant que représentant du pouvoir central, il doit également veiller aux intérêts de l'empire sur l'ensemble du territoire de Canaan. L'histoire d'Abimélec explique comment ce roi de Guérar, d'abord récalcitrant à l'idée de se soumettre à une autorité centrale, finit par se ranger de son côté après avoir reçu les assurances d'usage.

Analysons plus en détail ce récit :

Gn 20:1 Et Abraham s'en alla de là au pays du midi, et habita entre Kadès et Shur, et séjourna à Guérar.

Gn 20:2 Et Abraham dit de Sarah, sa femme: Elle est ma sœur. **Et Abimélec, roi de Guérar, envoya, et prit Sarah.**

Il est possible qu'en prenant Sarah en otage, Abimélec cherche à se placer en position de force pour négocier avec Abraham, nouveau gouverneur de la région qui cherche à exercer son rôle et à se faire respecter.

*Gn 20:3 Et «Baal» vint vers Abimélec la nuit, **dans un songe**, et lui dit: Voici, tu es mort à cause de la femme que tu as prise, car elle est une femme mariée.*

La notion de «songe» et de «vision» doit être remise en question, car il semble bien plus probable que Hammourabi ait fait parvenir à Abimélec un message sur tablette, lui enjoignant de libérer Sarah et de se soumettre à son autorité et à celle de son représentant, sous peine de représailles. Cette tablette devrait donc être «interprétée» comme un songe.

D'ailleurs, son Code de loi interdit à un homme de coucher avec la femme d'un autre, encore moins lorsque celle-ci est la femme de son représentant:

§ 129. Si la femme d'un homme a été prise au lit avec un autre homme, on les liera et jettera dans l'eau, à moins que le mari ne laisse vivre sa femme, et que le roi ne laisse vivre son serviteur.[129]

S'il cherchait à en imposer, Abimélec se retrouve plutôt dans une situation délicate. Il est donc impératif de démontrer qu'il n'a pas eu de relations sexuelles avec Sarah.

Gn 20:4 Or Abimélec ne s'était pas approché d'elle; et il dit: Seigneur, feras-tu périr même une nation juste?

Gn 20:5 Ne m'a-t-il pas dit: Elle est ma sœur? Et elle-même m'a dit: Il est mon frère. J'ai fait cela dans l'intégrité de mon cœur et dans l'innocence de mes mains.

Gn 20:6 Et «Baal*» lui dit en songe: Moi aussi je sais que tu as fait cela dans l'intégrité de ton cœur, et aussi je t'ai retenu de pécher contre moi; c'est pourquoi je n'ai pas permis que tu la touchasses.

---

129   Jean-Vincent Scheil, *La loi de Hammourabi (vers 2000 av. J.-C.)*, E. Leroux, 1904

*   Elohim dans le texte original

Gn 20:7 Et maintenant, rends la femme de cet homme; car il est prophète, et il priera pour toi, et tu vivras. **Mais si tu ne la rends pas, sache que tu mourras certainement, toi et tout ce qui est à toi.**

Gn 20:14 Et Abimélec prit du menu bétail et du gros bétail, et des serviteurs et des servantes, et il les donna à Abraham, et lui rendit Sarah, sa femme; et Abimélec dit:

Gn 20:15 Voici, mon pays est devant toi; habite où il te plaira.

Gn 20:16 Et à Sarah il dit: Voici, j'ai donné mille pièces d'argent à ton frère; voici, cela te sera une couverture des yeux pour tous ceux qui sont avec toi, et pour tous. Ainsi elle fut reprise.

C'est ainsi que, pour réparer sa faute, Abimélec rend Sarah à Abraham en plus de mille pièces d'argent, du bétail et des serviteurs.

Gn 21:22 Et il arriva, dans ce temps-là, qu'Abimélec, et Picol, chef de son armée, parlèrent à Abraham, disant; «Baal» est avec toi en tout ce que tu fais.

Abimélec reconnaît qu'en tant que représentant de Hammourabi, Abraham jouit de sa protection.

Gn 21:23 Et maintenant, jure-moi ici, par Élohim*, que tu n'agiras faussement ni envers moi, ni envers mes enfants, ni envers mes petits-enfants: selon la bonté dont j'ai usé envers toi, tu agiras envers moi et envers le pays dans lequel tu as séjourné.

Le roi de Guérar est prêt à faire acte de soumission, mais non sans imposer ses conditions: Abraham doit jurer que, si Abimélec accepte de se soumettre et de respecter les lois de Hammourabi, lui et ses descendants seront considérés eu égard à leur rang.

Gn 21:24 Et Abraham dit: Je le jurerai.

---

*   L'utilisation du terme Élohim est sans doute d'origine quoique celle de Baal aurait été tout aussi appropriée.

Dès que le pacte est scellé, on passe aux détails matériels :

Gn 21:25 Et Abraham reprit Abimélec à cause d'un puits d'eau dont les serviteurs d'Abimélec s'étaient emparés de force.

Gn 21:26 Et Abimélec dit : Je ne sais pas qui a fait cette chose-là, et aussi tu ne m'en as pas averti, et moi, je n'en ai entendu parler qu'aujourd'hui.

Gn 21:27 Et Abraham prit du menu et du gros bétail, et le donna à Abimélec, et ils firent alliance, eux deux.

Gn 21:28 Et Abraham mit à part sept jeunes brebis du troupeau ;

Gn 21:29 et Abimélec dit à Abraham : Qu'est-ce que ces sept jeunes brebis que tu as mises à part ?

Gn 21:30 Et il répondit : C'est que tu prendras de ma main ces sept jeunes brebis, pour me servir de témoignage que j'ai creusé ce puits.

Si la construction de ce récit semble cohérente et chronologiquement correcte (défi – menace – alliance – résolution de conflits), celle du récit d'Isaac ne l'est pas car la résolution de conflits (la discussion sur l'utilisation des puits) survient <u>avant</u> la conclusion sur l'alliance. Voilà pourquoi, selon nous, c'est le récit d'Abraham qui est d'origine, celui d'Isaac représentant un ajout.

Le fait que l'épithète « roi des Philistins » n'est employée que pour Abimélec vient appuyer notre thèse voulant que l'histoire d'Isaac aura été reprise de toutes pièces lors de la compilation des diverses sources qui composent la Bible.

Dans cette même perspective, nous réfutons l'utilisation de cet argument par ceux qui prétendent que les Patriarches n'auraient pu exister à l'époque du Bronze moyen en invoquant le fait que les Philistins ne sont apparus que beaucoup plus tard.

En résumé

- Certaines sources employées pour la rédaction du récit des Patriarches étaient manquantes, endommagées et en désordre.

- Privés de l'histoire d'Isaac, les scribes ne pouvaient se permettre d'inventer de toutes pièces une histoire « sacrée ».

- Le Chapitre 26 de la Genèse reprend en tous points, mais pour le compte d'Isaac, l'histoire qu'Abraham vécut dans sa jeunesse avec le roi Abimélec. Ce stratagème permet de légitimer Isaac sans véritablement transgresser la nature sacrée des textes.

- La rédaction du Chapitre 26 dans sa forme actuelle est ultérieure à l'arrivée des Philistins dans le Levant, d'où l'origine de l'anachronisme relevé par Finkelstein et bien d'autres avant lui.

– 8 –

Jacob et Joseph en Égypte

Maintenant qu'Abraham apparaît plus nettement sous les traits d'un gouverneur puissant, représentant du pouvoir central contrôlant la région de Canaan, voyons si le récit des Patriarches peut nous éclairer davantage sur l'histoire de cette grande région.

La Bible nous informe moins sur Isaac que sur ses fils jumeaux Ésaü et Jacob, et sur le fils de ce dernier, Joseph. L'histoire de Jacob se résume ainsi :

Ésaü est l'aîné parce qu'il est né avant son frère jumeau Jacob. Mais celui-ci rachète le droit d'aînesse de son frère pour un plat de lentilles. Plus tard, pour obtenir la bénédiction destinée à son frère, il use de ruse afin de confondre son vieux père Isaac, devenu aveugle. Furieux, Ésaü le menace et l'oblige à se réfugier chez son oncle Laban, où il travaillera de nombreuses années à conquérir le cœur de la belle Rachel. Vexé par l'attitude de Laban qui change son salaire plusieurs fois et le force à épouser sa fille aînée Léa avant qu'il puisse épouser Rachel, Jacob s'enrichit aux dépens de Laban avant de se sauver avec Rachel, Léa et ses enfants. Sur le chemin du retour, Jacob lutte avec « Dieu » et prend alors le nom d'Israël. Installé dans la région d'Édom, son frère Ésaü vient à sa rencontre. Lui aussi s'est enrichi entre temps et il accepte de pardonner à son frère qui pourra désormais s'installer dans la région de Canaan.

Jacob aura douze fils, qui formeront les douze tribus d'Israël. Seuls, Joseph et Benjamin sont issus de Rachel, ses autres fils lui ayant été donnés par Léa. Joseph est le onzième fils, mais le préféré de Jacob, celui qui est destiné à diriger ses frères aînés. Dans un geste inspiré par la jalousie, ceux-ci le vendent aux marchands ismaélites qui l'emmènent jusqu'en Égypte. Jacob croit son fils chéri mort. Mais par son habileté à interpréter les rêves, Joseph gagne rapidement les faveurs de Pharaon. Il prédit une grande famine et devient rapidement l'homme le plus puissant d'Égypte. C'est alors qu'il fait venir sa famille de Canaan pour lui éviter de connaître la famine.

Il est certain que l'ascension de Joseph en Égypte et la terrible famine qui sévit dans le pays sont plus qu'une simple anecdote car la Genèse y consacre sept chapitres sur cinquante (Gn 41-47). Mais si la région de Canaan est régulièrement affectée par des famines, l'Égypte jouit depuis toujours d'une terre abondante et fertile grâce au limon charrié chaque année par les crues du Nil. Cette famine qui a touché même l'Égypte a certainement été exceptionnelle car elle a duré plusieurs années et « *a sévi sur toute la terre* » (Gn 41:57). Sans doute est-elle le résultat d'un phénomène naturel majeur.

L'explosion du mont Théra

C'est effectivement à cette époque que la terre subit une éruption volcanique catastrophique, l'une des plus importantes qu'elle ait connue : l'explosion du mont Théra, aujourd'hui mieux connu sous le nom de Santorini.[130] Cette île est située dans le bassin grec de la Méditerranée, à moins de 1 000 km de l'Égypte et du Levant. On estime que ce volcan colossal a rejeté dans l'air quelque 30 km³ de magma et qu'une colonne de fumée de 36 km s'est élevée dans l'atmosphère, emportant avec elle une quantité phénoménale de cendres. L'expulsion d'une masse aussi

---

130   Phyllis Young Forsyth, *Thera in the Bronze Age*, P. Lang, 1997

importante a créé un gigantesque cratère, causant l'effondrement de l'île et projetant très haut dans les airs des cendres qui sont retombées sur toutes les régions limitrophes de la Méditerranée et de la Turquie. Les résidus de l'éruption se sont accumulés localement jusqu'à atteindre deux mètres de hauteur, mais les vents dominants ont emporté les particules plus légères.

Cette explosion marque le début d'une ère de refroidissement de l'hémisphère nord qui a eu une incidence majeure sur de nombreuses civilisations. Il semble même que la Chine ait connu des famines à la suite de cet événement.

30: Épicentre de l'explosion du mont Théra

Cette catastrophe a dû être perçue par les habitants comme un signe du ciel. Présenté comme un songe, le passage suivant décrit la vision du pharaon qui se tient devant le fleuve et observe une épaisse colonne de fumée montant très haut dans le ciel :

Gn 41:1 Et il arriva, au bout de deux années révolues, que le Pharaon songea, et voici, il se tenait près du fleuve :

Gn 41:2 et voici, du fleuve montaient sept vaches, belles à voir, et grasses de chair, et elles paissaient dans les roseaux.

Christiane Desroches-Noblecourt explique que les sept vaches grasses et les sept vaches maigres représentent les cycles bienfaisants des «bonnes» et des «mauvaises» crues du Nil.[131] Les vaches sont représentées dans le Livre des morts dès la XVIIIe dynastie; elles sont associées au taureau fécondateur.

Il ne fait aucun doute pour les historiens que ce cycle était déjà connu depuis fort longtemps. Par contre, les immenses masses nuageuses qui s'élèvent à l'horizon, par-dessus les roseaux qui bordent la rive, semblent sans doute de mauvais augure. Le songe se termine par le verset suivant:

> *Gn 41:6 Et voici, sept épis pauvres et brûlés par le vent d'orient germaient après eux;*

Ce verset est intéressant et la traduction de Chouraqui offre davantage de précisions:

> *Gn 41: 6 Et voici, sept épis maigres niellés de bise germent derrière eux.*

Voici en effet comment le Grand dictionnaire terminologique (GDT) définit le terme «nielle»: *Couche métallique noirâtre utilisée pour décorer l'orfèvrerie et l'argenterie: généralement constituée d'un mélange de sulfures métalliques.[132]*

Ne sont-ce pas là ces masses de cendres, transportées par les vents, qui se déposent sur les récoltes d'Égypte? Joseph interprète correctement le songe de Pharaon et annonce qu'une terrible famine va s'abattre sur tout le pays.

> *Gn 41:27 Et les sept vaches maigres et laides, qui montaient après elles, ce sont sept années; et les sept épis vides, brûlés par le vent d'orient, **ce sont sept années de famine.***

---

131 Christiane Desroches Noblecourt, *Le fabuleux héritage de l'Egypte ancienne*, Édition Pocket, 2006, p. 201

132 "Nielle", Grand dictionnaire terminologique, Office québécois de la langue française, 2002

Une énorme quantité de particules s'est probablement maintenue longtemps en suspension, atténuant le rayonnement solaire et affectant les récoltes. Les retombées au sol ont également couvert une très vaste région et causé des difficultés supplémentaires pour l'agriculture.[133]

Gn 45:6 Car voici deux ans que la famine est dans le pays, et il y a encore cinq ans, pendant lesquels il n'y aura ni labour, ni moisson.

Si Joseph est un témoin contemporain de cette catastrophe, il devrait être possible de la situer dans le temps en se référant aux écrits, et par rapport aux données déjà connues sur Abraham.

Données tirées de la Bible :

Source	Événement	Bible	6/10
Gn 21:5	Âge d'Abraham à la naissance d'Isaac	100	60
Gn 25:26	Âge d'Isaac à la naissance de Jacob	60	36
Gn 35:28	Mort d'Isaac	180	108
Gn 41:46	Âge de Joseph lorsqu'il est devant Pharaon	30	18
Gn 47:9	Âge de Jacob lorsqu'il est devant Pharaon	130	78
Gn 47:28	Âge de Jacob à sa mort	147	88
Gn 50:26	Âge de Joseph à sa mort	110	66

En connaissant l'âge d'Abraham à la naissance d'Isaac, celle d'Isaac à la naissance de Jacob, la durée de vie de celui-ci et en appliquant toujours la prémisse voulant qu'Abraham soit né en 1810, on peut déduire que Jacob a vécu de 1714 (=1810-60-36) à 1626 (=1714-88).

---

133   Le papyrus d'Ipuwer relate les terribles fléaux qui affectèrent l'Égypte, conséquences probables de cette explosion. Compte tenu du climat froid et humide résultant, il n'est pas impossible que les récoltes aient également souffert de « l'anguillule du blé niellé », un parasite qui s'attaque aux cultures de blé. Voir : Casimir Joseph Davaine, *Recherches sur l'anguillule du blé niellé considérée au point de vue de l'histoire naturelle et de l'agriculture: mémoire couronné par l'Institut*, J.B. Baillière, 1857.

Avec ces informations, il est maintenant possible de situer dans le temps son fils Joseph et la famine.

La Bible nous apprend que Joseph a 18 ans (=30x6/10) quand il se tient devant Pharaon et interprète le «songe» annonçant la terrible famine:

> *Gn 41:46 Et Joseph était âgé de **trente ans** lorsqu'il se tint devant le Pharaon, le roi d'Égypte; et Joseph sortit de devant le Pharaon et passa par tout le pays d'Égypte.*

Malheureusement, la Genèse ne nous indique pas l'âge auquel Jacob engendre Joseph. Comme celui-ci est l'avant-dernier d'une famille de douze, il est fort possible que Jacob l'ait eu à 47 ans. En posant cette hypothèse, on arrive à situer la naissance de Joseph par rapport à Jacob en 1667 (=1714-47). Dans ce cas, la famine serait survenue dix-huit ans plus tard en 1649 (=1667-18). Nous verrons plus loin comment le reste du récit va venir valider cette hypothèse.

Si la famine débute en 1649, comment savoir en quelle année elle se termine?

> *Gn 41:30 et **sept années de famine** se lèveront après elles; et toute l'abondance sera oubliée dans le pays d'Égypte, et la famine consumera le pays;*

Ces écrits nous apprennent que la famine a duré quatre ans selon le calcul 6/10, soit jusqu'en 1645.

Sommaire des données calculées:

Événement	Date
Naissance d'Abraham (prémisse)	-1810
Naissance d'Isaac (Abraham a 60 ans)	-1750
Naissance de Jacob (Isaac a 36 ans)	-1714
Naissance de Joseph (si Jacob a 47 ans)	-1667
Début de la famine, (Joseph a 18 ans)	-1649
Fin de la famine	-1645

Comment ces dates s'articulent-elles avec les données historiques connues sur l'explosion du mont Théra ? Il ne semble pas encore y avoir unanimité sur la datation de cet événement car les différentes méthodes d'analyse donnent des résultats divergents.[134] En utilisant la datation au carbone 14, Manning suggère que cette éruption a eu lieu entre 1622 et 1618, mais tout en acceptant la plage de 1660 à 1613, avec une marge de certitude de 95 p. cent.[135] Mais la datation au carbone 14 est imprécise car la teneur de cet élément dans la haute atmosphère varie avec la latitude et les cycles solaires.

La dendrochronologie est une technique fondée sur l'analyse du taux de croissance et le nombre d'anneaux relevés sur une section de tronc d'arbres. Cette méthode employée en archéologie corrige les erreurs de non-linéarité introduites par la méthode de détérioration du carbone 14. En étudiant les échantillons de bois récupérés dans les ruines pour constituer les banques de données dendrochronologiques, Peter I. Kuniholm, Maryanne W. Newton, Carol B. Griggs et Pamela J. Sullivan, influencés par les travaux de Manning et Hammer, trouvent les taux de croissance suivants :[136]

---

134 En se fondant sur des données archéologiques, certains prétendent que l'éruption a plutôt eu lieu vers 1550-1500. Toutefois, ces dates sont fortement contestées par des analyses plus récentes et plus précises.

135 S. W. Manning, C. Bronk Ramsey, W.Kutschera, T. Higham, B. Kromer, P. Steier, E. M. Wild, *Chronology for the Aegean Late Bronze Age 1700-1400 B.C.*, Science, Vol. 312, Avril 2006

136 Peter I. Kuniholm, Maryanne W. Newton, Carol B. Griggs et Pamela J. Sullivan, *Dendrocrhonological Dating in Anatolia: The Second Millennium BC*, Cornell University, 2005, p. 42

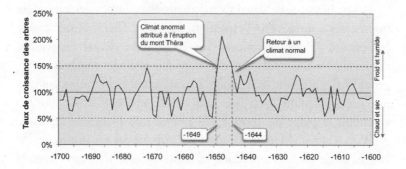

31: **Données dendrochronologiques pour le XVIIᵉ siècle AEC**

Sur ce graphique qui relate des taux de croissance mesurés sur des échantillons de bois datés de 1700 à 1600, on observe une poussée anormale entre 1649 et 1644. Cette croissance, la plus forte répertoriée sur neuf mille ans, apparaît sur tous les échantillons recueillis. Les auteurs de cette étude expliquent qu'elle est causée par des années excessivement froides et humides qu'ils attribuent aux perturbations atmosphériques résultant de l'explosion du mont Théra.

Pour la première fois, il semble possible d'établir un lien de causalité liant la famine à l'époque de Joseph et cette terrible catastrophe. Cette parfaite correspondance entre les données dendrochronologiques et les années de famine calculées à partir des générations d'Abraham semble confirmer que Jacob a effectivement 47 ans à la naissance de Joseph.

En résumé

- La Bible fait grand état de la famine en Égypte, ainsi que du rôle prépondérant que Joseph y tient dans les années qui suivent.

- Joseph annonce une terrible famine à Pharaon. Si Abraham est né en 1810 et que Jacob a eu Joseph à l'âge de 47 ans, l'interprétation de ce songe aurait eu lieu en 1649.

- Les données dendrochronologiques nous permettent de croire que l'explosion du mont Théra a eu lieu en 1649 et qu'un retour à la normale s'observe quatre ans plus tard, ce qui correspond à la durée de la famine dans la Bible.

- Joseph est sans doute le témoin contemporain de cette explosion.

- L'histoire nous enseigne que l'explosion du mont Théra bouleverse le climat mondial et entraîne des conditions de vie similaires à la description que la Bible nous offre de cette terrible famine.

Les Hyksôs prennent le pouvoir

L'état de famine et les divers malheurs qui ont frappé les populations locales auront été une source d'instabilité politique majeure affectant toute la région. Cette période trouble a-t-elle profité aux Patriarches amorrites ?

Voici ce que la Bible nous apprend des pouvoirs que Pharaon attribue à Joseph :

Gn 41:39 Et le Pharaon dit à Joseph : Puisque Élohim t'a fait connaître tout cela, personne n'est intelligent et sage comme toi.

*Gn 41:40 Toi, **tu seras sur ma maison**, et tout mon peuple se dirigera d'après ton commandement ; seulement quant au trône, je serai plus grand que toi.*

Gn 41:41 Et le Pharaon dit à Joseph : Vois, je t'ai établi sur tout le pays d'Égypte.

Gn 41:42 Et le Pharaon ôta son anneau de sa main, et le mit à la main de Joseph, et il le revêtit de vêtements de byssus, et mit un collier d'or à son cou ;

*Gn 41:43 et il le fit monter sur le second char qui était à lui ; et on criait devant lui : Abrec ! **Et il l'établit sur tout le pays d'Égypte.***

Gn 41:44 Et le Pharaon dit à Joseph: Moi je suis le Pharaon: sans toi nul ne lèvera la main ni le pied dans tout le pays d'Égypte.

Les plus importantes affaires de l'État égyptien sont donc confiées à Joseph. Cette étonnante décision ne coïncide-t-elle pas avec la prise de pouvoir par les Hyksôs? Rappelons que la population amorrite est installée dans le Delta depuis près d'une centaine d'années, dès l'époque des premiers déplacements d'Abraham. Compte tenu de la multitude des preuves culturelles permettant de les relier aux Hyksôs et aux Amorrites, et indirectement à Hammourabi, il est permis de croire qu'un lien existe entre les Patriarches et les Hyksôs. Et si le récit des Patriarches demeure vague quant à la nature exacte des postes occupés par Jacob et Joseph en Égypte, il est clair qu'ils y ont tenu un rôle politique de premier plan.

Pharaon invite Joseph à faire venir sa famille:

Gn 47:6 Le pays d'Égypte est devant toi; fais habiter ton père et tes frères dans la meilleure partie du pays: qu'ils demeurent dans le pays de Goshen; et si tu connais qu'il y ait parmi eux des hommes capables, tu les établiras chefs des troupeaux qui sont à moi.

Le «pays de Goshen» n'est situé qu'à quelques kilomètres au sud d'Avaris.[137] Il est facile de deviner ce que signifie être établi «chef des troupeaux» pour un «roi berger». Souvenons-nous que Hammourabi et d'autres rois amorrites s'attribuent le titre de «berger» ou «pasteur» du peuple.

L'arrivée de Jacob en Égypte et le poste important qu'il y occupe semble accréditer la thèse de nombreux auteurs qui ont déjà suggéré que le pharaon hyksôs Yakub-her et le Jacob de la Bible

---

137   "Goshen", *The Jewish Encyclopedia*, Funk and Wagnalls, 1906, p. 50

ne sont en fait qu'une seule et même personne.[138] Pourtant, encore une fois, il faut admettre qu'aucune date proposée n'a permis jusqu'aujourd'hui un rapprochement satisfaisant.

Voici ce que la Bible nous apprend :

*Gn 47:9 Et Jacob dit au Pharaon : **Les jours des années de mon séjournement sont cent trente ans** ; les jours des années de ma vie ont été courts et mauvais, et ils n'ont pas atteint les jours des années de la vie de mes pères, dans les jours de leur séjournement.*

Gn 47:10 Et Jacob bénit le Pharaon, et sortit de devant le Pharaon.

*Gn 47:28 Et **Jacob vécut dans le pays d'Égypte dix-sept ans** ; et les jours de Jacob, les années de sa vie, furent cent quarante-sept ans.*

Jacob a donc 78 ans (=130x6/10) à son entrée en Égypte où il vivra jusqu'à l'âge de 88 ans (=147x6/10), soit une dizaine d'années. Il y aura donc séjourné de 1636 (=1714-78) à sa mort dix ans plus tard en 1626 (=1714-88). Jacob arrive donc en Égypte 13 ans (=1649-1636) après l'explosion du mont Théra.

Il importe donc de se renseigner davantage sur les circonstances qui ont mené à la prise de pouvoir par ces Hyksôs afin de voir si un tel rapprochement avec les Patriarches est envisageable.

C'est vers 1750 que ces émigrants d'origine amorrite se regroupent et prennent graduellement possession des terres qu'ils occupent dans le Delta. Les monarques thébains ne semblent pas trop préoccupés par cette coexistence d'apparence paisible.

---

138   Christopher Knight et Robert Lomas, *The Hiram Key*, Fair Winds Press, 2001, p.
      Maurice Bucaille, *Moses and Pharaoh in the Bible, Qur'an and History*, The Other Press, p. 39
      Louay Fatoohi, Shetha Al-Dargazelli, *History Testifies to the Infallibility of the Qur'an: Early History of the Children of Israel*, Quranic Studies, 1999, p. 26

Grimal et Shaw soulignent même l'étonnante continuité qui ressort des textes et des monuments menant de la XIIᵉ dynastie à la Deuxième période intermédiaire. Ils précisent: « *L'aspect le plus surprenant des XIIIᵉ et XIVᵉ dynasties est l'apparent maintien de l'influence égyptienne sur les pays limitrophes.* »[139]

Comme l'Égypte maintient son influence sur les régions avoisinantes, il semble qu'un événement majeur – l'éruption du mont Théra – ait contribué à bouleverser l'ordre établi car le rapport de force bascule rapidement en faveur des Hyksôs: ils s'emparent du pouvoir sur l'ensemble de l'Égypte et établissent la XVᵉ dynastie. Que s'est-il donc passé?

Malheureusement, l'histoire de cette période est très mal documentée car les Égyptiens se sont empressés de détruire systématiquement toute trace de ce passé peu glorieux gravé sur leurs édifices et monuments. Les seules informations qui nous sont parvenues sont celles qui ont échappé à cette censure de l'histoire: elles sont fragmentaires, incomplètes et contradictoires. Elles ne permettent donc pas de retracer avec certitude le nom, la durée du règne, ni même l'ordre dans lequel ces rois Hyksôs ont exercé le pouvoir.

Si les rois de la XIIᵉ et de la XIIIᵉ dynastie[140] qui ont immédiatement précédé la prise de pouvoir des Hyksôs, ainsi que ceux de la XVIIᵉ et de la XVIIIᵉ qui leur ont succédé, sont relativement bien connus, les données manquent pour les XIVᵉ, XVᵉ et

---

139 Nicolas Grimal, Ian Shaw, *A History of Ancient Egypt*, Blackwell Publishing, 1994, p. 183

140 La XIIᵉ dynastie règne sur l'ensemble de l'Égypte. Les XIIIᵉ et XIVᵉ dynasties sont contemporaines. L'arrivée des Hyksôs qui forment la XIVᵉ dynastie fragmente le pouvoir de la XIIIᵉ dynastie (héritiers de la XIIᵉ dynastie).

XVIᵉ dynasties[141]. Le diagramme suivant démontre les liens entre ces dynasties qui ont exercé un pouvoir parallèle.

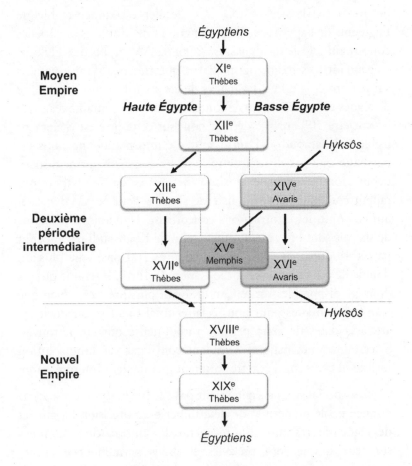

32: Dynasties de la Deuxième période intermédiaire

---

141   Les XVᵉ, XVIᵉ et XVIIᵉ dynasties sont contemporaines. La XVᵉ dirige le pays et prélève les impôts ; la XVIᵉ exerce le pouvoir en Basse Égypte alors que la XVIIᵉ (héritiers de la XIIIᵉ) exerce le pouvoir en Haute Égypte. Seuls, les rois de la XVIIᵉ sont des autochtones égyptiens. Les autres font partie de la mouvance hyksôs.

Les deux sources principales auxquelles les spécialistes se réfèrent pour situer le règne des Hyksôs sont la liste des rois de l'historien égyptien Manéthon (IIIe siècle AEC) et le Canon de Turin (XIIIe siècle AEC). Ce dernier est un ensemble de fragments de papyrus sur lesquels figurent des données essentielles concernant plusieurs dynasties, dont la XVe, celle des Hyksôs. Cependant, ces fragments n'offrent que très peu d'informations sur le nom et la durée des règnes de ces six rois. Seuls, le nombre de règnes et leur durée totale sont connues : une centaine d'années – peut-être 108 ans. Le dernier nom sur cette liste est également lisible : « Khamoudi ». L'autre source d'information ne nous est parvenue que par des transcriptions, les originaux ayant disparu depuis fort longtemps. Il s'agit des écrits de Manéthon qui rapportent également une liste de six rois pour la XVe dynastie. Sur ce point, les informations concordent. Toutefois, si les noms de six rois sont bien mentionnés, celui de Khamoudi n'y apparaît pas et la durée de leurs règnes totalise 260 ans, soit plus du double de celle rapportée sur le Canon de Turin. Il semble que les données disponibles sur le Canon soient plus précises – bien que trop fragmentaires pour nous éclairer totalement –, car quelques artefacts datés de cette période tumultueuse ont été retrouvés. Si certaines informations semblent converger vers une solution réaliste, il convient d'être très prudent quant à leur interprétation.

Les spécialistes ne s'entendent pas sur la question, car aucune donnée fiable ne permet de déterminer avec précision les années de règne de ces rois. En revanche, les informations connues sur ceux qui les ont précédés et suivis permettent d'estimer la durée totale de leur règne à environ 150 ans. Par ailleurs, les six rois hyksôs dont on a retrouvé les traces lors de fouilles archéologiques, ou dont on possède de bons indices, sont Salatis, Sheshi, Yakub-her, Khyan, Apophis I et II, et Khamoudi.

On ne sait donc pas précisément quand et comment les Hyksôs de la XVe dynastie ont pris le contrôle. Toutefois, Josèphe Flavius transcrit fidèlement la façon dont l'Égyptien Manéthon ouvre son chapitre abordant leur règne :

Toutimaios[142]. *Sous son règne, je ne sais comment,* **la colère divine souffla contre nous**, *et à l'improviste, de l'Orient, un peuple de race inconnue eut l'audace d'envahir notre pays, et* **sans difficulté ni combat** *s'en empara de vive force ; ils se saisirent des chefs, incendièrent sauvagement les villes, rasèrent les temples des dieux et traitèrent les indigènes avec la dernière cruauté, égorgeant les uns, emmenant comme esclaves les enfants et les femmes des autres. À la fin, ils firent même roi l'un des leurs nommé Salitis. Ce prince s'établit à Memphis, levant des impôts sur le haut et le bas pays et laissant une garnison dans les places les plus convenables.*[143]

Ce passage nous livre quelques indices sur les circonstances qui ont mené à cette prise de pouvoir. Le choix de l'expression « *la colère divine souffla contre nous* » décrit bien cette éruption et les retombées qui s'en suivirent. Par contre, la facilité avec laquelle les Hyksôs réussirent à envahir l'Égypte offre un contraste surprenant avec l'harmonie et la stabilité qui semblait régner dans le pays. À l'évidence, les Égyptiens auront été pris de court par le revirement de situation.

Mais pourquoi les Hyksôs auraient-ils profité – mieux que les Égyptiens – de l'état chaotique résultant de l'explosion du Théra ? Rappelons qu'ils vénéraient Seth, l'équivalent du Baal des Amorrites, dieu du chaos, des orages et des ténèbres. Ils auront peut-être interprété ces signes du ciel comme une bénédiction et la faiblesse de leurs adversaires comme une récompense divine. La famine qui s'annonçait n'aura été qu'un facteur de motivation additionnel.

En effet, de tout temps dans l'histoire des religions mono-théistes, la ferveur des sentiments religieux est récompensée par

---

142   Toutimaios (Timaüs) est connu comme étant le pharaon de la XIIIᵉ dynastie qui a perdu le contrôle de l'Égypte aux mains des Hyksôs.

143   Josèphe Flavius, *Contre Apion*, traduit par René Harmand, Ernest Leroux, 1911

le divin, alors que le manquement aux respects des règles mène à l'échec. L'exil à Babylone est un exemple de punition divine.

Mais on s'attendrait malgré tout à ce que l'armée disciplinée et entraînée d'un pays politiquement stable oppose un minimum de résistance à tout envahisseur menaçant. L'éruption du mont Théra déstabilise-t-elle à ce point l'organisation du pays que les Égyptiens deviennent, sans le vouloir, les artisans de leur propre perte ? Si les Hyksôs prennent le pays « *sans difficulté ni combat* », c'est peut-être qu'ils font face à une armée en déroute, incapable de s'organiser pour réagir... ou qu'on leur offre le pays en échange de nourriture !

La Bible raconte en effet comment Joseph rachète la terre des Égyptiens désespérés en échange de nourriture :

> *Gn 47:16 Et Joseph dit :* **Donnez votre bétail, et je vous donnerai du pain** *contre votre bétail, si l'argent vous manque.*

> *Gn 47:17 Et ils amenèrent leur bétail à Joseph ; et Joseph leur donna du pain contre des chevaux, et contre des troupeaux de menu bétail, et contre des troupeaux de gros bétail, et contre des ânes : et il les fournit de pain cette année-là contre tous leurs troupeaux.*

> *Gn 47:18 Et cette année-là finit ; et ils vinrent à lui la seconde année, et lui dirent : Nous ne cacherons pas à mon seigneur que l'argent est épuisé, et mon seigneur a les troupeaux de bétail :* **il ne reste rien devant mon seigneur que nos corps et nos terres.**

> *Gn 47:19 Pourquoi mourrions-nous devant tes yeux, tant nous que nos terres ?* **Achète-nous, et nos terres, contre du pain** *; et nous serons, nous et nos terres, serviteurs du Pharaon. Et donne-nous de la semence, afin que nous vivions et ne mourions pas, et que la terre ne soit pas désolée.*

> *Gn 47:20* **Et Joseph acheta tout le sol de l'Égypte pour le Pharaon :** *car les Égyptiens vendirent chacun son champ, parce que la famine les pressait ; et la terre fut au Pharaon.*

Le Delta du Nil, où se sont installés les Hyksôs, est effectivement la région la plus fertile d'Égypte. Encore aujourd'hui, il s'agit de la région la plus cultivée au monde.[144] Si Joseph, percevant l'imminence du danger, rationne la nourriture pour préserver les ressources du pays et s'il négocie habilement la vente de cette précieuse denrée, cette invasion en douceur peut s'expliquer.

Si l'éruption du mont Théra a facilité la prise de pouvoir des Hyksôs, il convient alors de situer le début du règne de Salatis-Sheshi, premier roi hyksôs, peu après l'éruption, soit aux environs de 1649. Cette date concorde avec celle que proposent une majorité de spécialistes qui situent effectivement le début de son règne vers 1650. Selon toute vraisemblance, Salatis-Sheshi serait alors le «pharaon» contemporain de Joseph, ce qui expliquerait la grande confiance qu'il témoigne à Joseph et aux membres de sa famille.

Si Yabkub-her est bien Jacob, il a probablement régné environ dix ans sur l'Égypte, de 1636 à 1626. Par conséquent, la durée de règne du tandem Salatis-Sheshi[145] ne peut être de plus de treize ans (=1649-1636), soit le temps écoulé entre l'explosion du mont Théra et la prise de pouvoir d'Yakub-her.

La durée calculée pour le séjour de Jacob en Égypte correspond effectivement aux durées généralement acceptées pour le règne du pharaon Yakub-her. L'histoire nous a malheureusement légué très peu de détails sur lui. La Bible apparaît donc comme une source d'information complémentaire et pour la première fois, le Jacob de la Bible semble vouloir se confondre avec le roi hyksôs du même nom.

---

144 Virginia Maxwell, Mary Fitzpatrick, Siona Jenkins, Anthony Sattin, *Egypt*, Lonely Planet, 2006, P. 196

145 Il est possible que ces deux noms s'appliquent au même homme.

En résumé

- Les rares informations dont on dispose sur les Hyksôs sont souvent contradictoires. On ignore comment ils ont pris le pouvoir en Égypte et la durée des règnes de leurs rois.

- L'histoire nous apprend toutefois que les Hyksôs s'installent dans la région du Delta vers 1750. Ils exercent le pouvoir sur l'ensemble de l'Égypte aux environs de 1650 et le maintiendront plus d'une centaine d'années.

- Les quelques bribes d'informations dont on dispose permettent de croire qu'il y aurait eu six ou sept rois hyksôs : Salatis, Sheshi, Yakub-her, Khyan, Apophis I & II, et Khamoudi,

- Si Abraham est né en 1810, Jacob aura séjourné en Égypte de 1636 à 1626. Ces années pourraient correspondre à celles du règne de Yakub-her.

- Manéthon nous apprend que les Hyksôs se sont emparés du pouvoir en Égypte *sans difficulté ni combat.*

- La Bible nous apprend que durant la famine, Joseph a su habillement négocier les réserves alimentaires en contrepartie des terres d'Égypte.

La succession de Yakub-her

Si certains auteurs avaient déjà pressenti un lien entre Jacob et Yakub-her, il semble qu'aucun n'ait émis d'hypothèse sur sa succession.

Voyons comment la Bible nous renseigne : elle confirme que Jacob avait une préférence pour Joseph.

*Gn 37:3 Et Israël aimait Joseph plus que tous ses fils, parce qu'il était pour lui le fils de sa vieillesse, **et il lui fit une tunique bigarrée.***

La «tunique bigarrée» a sans doute une signification particulière: Joseph est le fils favori désigné pour assurer la succession. De nombreuses fresques égyptiennes dépeignent effectivement le pharaon vêtu d'une tunique richement colorée.

Gn 37:4 Et ses frères virent que leur père l'aimait plus que tous ses frères; et ils le haïssaient, et ne pouvaient lui parler paisiblement.

Gn 37:5 Et Joseph songea un songe, et le raconta à ses frères, et ils le haïrent encore davantage.

Gn 37:6 Et il leur dit: Écoutez, je vous prie, ce songe que j'ai songé:

Gn 37:7 Voici, nous étions à lier des gerbes au milieu des champs; et voici, ma gerbe se leva, et elle se tint debout; et voici, vos gerbes l'entourèrent, et se prosternèrent devant ma gerbe.

Gn 37:8 Et ses frères lui dirent: Est-ce que tu dois donc régner sur nous? Domineras-tu sur nous? Et ils le haïrent encore davantage, à cause de ses songes et de ses paroles.

Gn 37:9 Et il songea encore un autre songe, et le raconta à ses frères. Et il dit: Voici, j'ai encore songé un songe; et voici, le soleil, et la lune, et onze étoiles, se prosternaient devant moi.

*Gn 37:10 Et il le conta à son père et à ses frères. Et son père le reprit, et lui dit: Qu'est-ce que ce songe que tu as songé? **Est-ce que moi, et ta mère, et tes frères, nous viendrons nous prosterner en terre devant toi?***

Gn 37:11 Et ses frères furent jaloux de lui; mais son père gardait cette parole.

Bien que Jacob ne soit pas particulièrement enclin à se soumettre à son propre fils, Joseph est clairement destiné à exercer une certaine autorité sur ses frères. La suite du récit montre qu'il devient un personnage très important.

Selon toute vraisemblance, Khyan est le roi hyksôs qui succède à Yakub-her. Khyan a certainement été un grand roi car son nom est connu à l'extérieur de l'Égypte. On a retrouvé des traces de ses sceaux à Knossos en Crète, à Bogaskoy en Turquie (antérieurement Hattusa, la capitale de l'empire hittite), ainsi qu'à Babylone.[146] Le nom de Khan est généralement associé au titre «Roi des Terres Étrangères». Joseph et Khan sont-ils une seule et même personne?

L'égyptologue danois Kim Ryholt, spécialiste de la Deuxième période intermédiaire, nous apprend qu'une stèle retrouvée à Avaris mentionne le nom de Khan suivi d'une dédicace, mais trop endommagée pour être déchiffrée.[147] Ryholt avance qu'à l'évidence, il devait s'agir de «Seth», le dieu vénéré par les Hyksôs qui correspond au dieu Baal des Amorrites.

Le nom «Joseph» s'écrit de bien des façons: Yosef, Yousef, Yusef, Yasuf, Iosseph. Comme les Hyksôs célèbrent le dieu Seth et que Isra-El et Ishma-El célèbrent le dieu El, il nous est permis de croire que le nom complet de Khan est effectivement «Khan-Seth».

Ryholt nous apprend que la correspondance amorrite de «Khan» est «h-ya-a-n». En supposant que son nom complet ait été «h-ya-a-n-seth», on trouve la forme contractée «h-ya-seth» ou «ya-sef» en substituant au «th» l'autre fricative «f».

Ce rapprochement semble d'autant plus probable quand on sait que le fils aîné de Joseph s'appelait «Manassé», et celui de Khan-Seth, «Yanassi» car la consonance de ces noms est très semblable.

Gn: 41:51 Et Joseph appela le nom du premier-né Manassé: car Élohim m'a fait oublier toute ma peine, et toute la maison de mon père.

---

146   P Mack Crew, I. E. S. Edwards, J. B. Bury, Cyril John Gadd, Nicholas Geoffrey, Lemprière Hammond, E. Sollberger, *The Cambridge Ancient History: C. 1800-1380 B. C.*, Cambridge University Press, 1973, p. 60

147   Kim Ryholt, *The Political Situation in Egypt during the Second Intermediate Period c.1800-1550 B.C.*, Museum Tuscalanum Press, 1997

En conservant l'hypothèse que Jacob avait bien 47 ans lors de la naissance de Joseph, on peut déduire que Joseph a survécu 25 ans à son père. Ainsi, il aura pu hériter en 1626 (à l'âge de 41 ans) et se maintenir au pouvoir jusqu'à sa mort en 1601 (=1667-66), à l'âge de 66 ans (Gn 50:26). Il aura donc séjourné en Égypte près de cinquante ans (=66-18) et y aura exercé le pouvoir durant 25 ans. Encore une fois, il s'agit de dates et de durée de règne réalistes et acceptables en ce qui concerne Khyan.

Il ne faut donc pas s'étonner de retrouver beaucoup plus tard une description qui colle parfaitement à Khyan, lorsque Moïse bénit les tribus d'Israël et qu'il dit en parlant de Joseph :

> *Deut 33:17 Sa magnificence est comme le **premier-né de son taureau**, et **ses cornes sont des cornes de buffle**. Avec elles, il poussera les peuples ensemble **jusqu'aux bouts de la terre**. Ce sont les myriades d'Éphraïm, et ce sont les milliers de Manassé.*

Ces caractéristiques correspondent effectivement à celles de Khyan, «Roi des Terres Étrangères», qui vénère le dieu Seth, l'équivalent de Baal, lui-même représenté par un veau ou des cornes.

Curieusement, l'histoire des Patriarches s'interrompt brusquement à la mort de Joseph. La piste se brouille rapidement et rien n'indique dans la Bible que ses descendants continuent d'exercer le pouvoir en Égypte. Ryholt suggère que Yanassi fut sans doute désigné comme successeur de Khyan. Toutefois, l'histoire nous apprendra que ce n'est pas Yanassi, mais bien Apophis qui lui succédera. À la mort de Khyan, il semble qu'Apophis ait fomenté un coup d'État et usurpé le trône[148].

Le tandem Joseph – Manassé s'apparente bien à Khyan-Seth – Yanassi. Et si Yanassi est assassiné ou chassé lors d'un coup d'État, il est normal que l'histoire des Patriarches se trouve brusquement interrompue.

---

148   Kim Ryholt, *The Political Situation in Egypt during the Second Intermediate Period c.1800-1550 B.C.*, Museum Tuscalanum Press, 1997

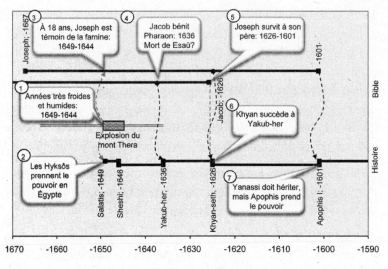

33: La famine en Égypte

Ce tableau expose le parfait synchronisme qui perdure deux générations après Abraham, une fois posée la prémisse voulant qu'il soit né en 1810. Si Joseph vient au monde lorsque Jacob a 47 ans, il atteint donc 18 ans (3) en 1649, l'année exacte où l'on observe le taux de croissance le plus important dans la région au cours de ces 9 000 ans. Les auteurs de l'étude attribuent à l'explosion du mont Théra ces années anormalement froides et humides (1). Joseph saura habilement négocier la nourriture devenue rare, ce qui permettra aux Hyksôs de prendre le pouvoir en Égypte (2). À la mort de Jacob, Joseph lui survit 25 ans. Manassé qui s'attendait à régner en 1601, perd le pouvoir aux mains d'Apophis. Ainsi se confondent les identités de Jacob et Yakub-her, Joseph et Khyan-Seth, Manassé et Yanassi.

En résumé

- Joseph séjourne une cinquantaine d'années en Égypte, soit un peu avant l'âge de 18 ans jusqu'à sa mort, à 66 ans.

- La Bible nous apprend que Joseph était le fils désigné de Jacob.

- Les caractéristiques attribuées à Joseph dans le texte du Deutéronome correspondent à la description de Khyan.

- Si Khyan-Seth est Joseph, il succède à son père Jacob et dirige l'Égypte de 1625 à 1601.

- Manassé, fils de Joseph, à l'instar de Yanassi, fils de Khyan-Seth, était le fils désigné pour succéder à son père. Mais l'histoire nous apprend que c'est Apophis qui succède à Khyan.

TROISIÈME PARTIE

LE DROIT D'AÎNESSE D'ESAÜ

ÉPHRAÏM, L'ÉLU DE JACOB

LES DOUZE TRIBUS D'ISRAËL

– 9 –

Le droit d'aînesse d'Esaü

Jusqu'à présent, nous avons pu rassembler des preuves tangibles qui tendent à démontrer qu'Abraham n'a jamais conclu d'alliance avec un nouveau «dieu», mais qu'il entretenait plutôt une relation de vassal à suzerain avec un roi de l'Antiquité. La relecture contextuelle du récit d'Abraham met en lumière une logique infaillible qui témoigne d'un terrible quiproquo sur l'identité du «seigneur» d'Abraham et révèle la véritable identité de Jacob, de Joseph et de Manassé.

Les chronologies comparées permettent un rapprochement avec une figure historique connue: Hammourabi, roi de Babylone. Ce choix semble très crédible, car les dates, les événements, le profil culturel, ainsi que les motivations de chacun, offrent des concordances étonnantes qui transcendent la simple coïncidence.

Le livre de la Genèse se referme sur la mort de Joseph. Mais si cette histoire puise à la source d'une réalité historique, le récit des Patriarches n'en dépeint forcément qu'une petite tranche.

Il convient donc de s'interroger sur l'identité des autres acteurs de ce récit. Y-a-t-il des liens entre Isaac, Esaü et Éphraïm et les autres rois hyksôs connus: Salatis, Sheshi, Apophis et Khamoudi?

Selon toute logique, on s'attendrait à trouver de nouvelles corrélations dans la suite des événements.

Dans cette troisième et dernière partie, nous allons emprunter des voies plus téméraires, car les éléments d'information dont on dispose, aussi bien du côté biblique qu'historique, manquent et ne permettent pas de tirer de franches conclusions. C'est donc la curiosité qui nous pousse à la recherche d'indices et de nouvelles théories unificatrices. La rigueur scientifique doit faire place à plus d'intuition et de spéculation. Les résultats qui apparaissent sont néanmoins suffisamment probants pour mériter qu'on s'y arrête.

Isaac et Esaü prennent le pouvoir

Quelques rapprochements semblent effectivement possibles entre le roi hyksôs Salatis (Se-kha-en-Rê) et Isaac, ainsi qu'entre Sheshi et Ésaü. Encore une fois, l'étymologie des noms s'y prête, car la forme contractée « Se-kha » s'apparente à « Isaac » et celle de « Eshi » à « Esaü ». Le rapprochement apparaît encore plus clair lorsqu'on retire les voyelles : comparons « SKH » à « SC » pour Isaac et « SH » à « S » pour Esaü. Comme Isaac s'écrit tout aussi bien « Yitzhak », on saisit encore mieux le lien possible.

Salatis et Sheshi sont les deux premiers rois hyksôs à avoir exercé le pouvoir sur l'ensemble de l'Égypte. Les historiens situent leurs règnes vers 1650. Comme Isaac meurt en 1642 à 108 ans (Gn 35 :28), il aurait effectivement pu prendre le pouvoir à la suite de l'éruption du mont Théra en 1649, bien qu'à l'âge très avancé de 101 ans (=1642-1649+108). Il n'est donc pas possible qu'il se soit imposé par les armes. Par contre, son fils aurait pu lui offrir de partager symboliquement le pouvoir à titre « honorifique ». Et comme plusieurs spécialistes pensent que Salatis et Sheshi ne sont peut-être qu'un seul et même roi, une telle corégence, par ailleurs fréquente dans l'histoire de l'Antiquité, serait possible et permettrait de lever l'ambiguïté.

Mais si Sheshi et Esaü ne font qu'un, Yakub-her est donc son frère. Et comme tout indique que Yakub-her est le pharaon hyksôs qui succède au pharaon Sheshi, la question se pose : pourquoi est-ce son frère Jacob qui hérite de la gouvernance plutôt que l'un des fils d'Esaü qui ne manque pas de descendants ? (Le Chapitre 36 de la Genèse en offre la généalogie complète).

Dans l'introduction du chapitre précédent, nous avons signalé que la relation entre les deux frères était source de tensions. Rappelons les faits :

Fils d'Isaac, Jacob et Esaü sont frères jumeaux. Mais comme Esaü vient au monde le premier, il est officiellement l'aîné. Jaloux de son frère, Jacob va user de subterfuges pour acquérir le droit d'aînesse. La discorde s'installe alors entre les deux frères. La Bible raconte comment Jacob se fait passer pour Esaü pour obtenir la bénédiction de son père. Mais si l'Ancien testament n'est pas explicite à ce sujet, il semble que leur père Isaac penchera plutôt en faveur de Jacob parce qu'Esaü épouse des femmes au sang « impur ». Comme Isaac et Rachel les rejettent, ils accordent à Jacob la succession de la dynastie. Furieux, Esaü oblige son frère à s'exiler au loin. Jacob passera en effet de nombreuses années chez Laban dont il épousera les filles – des femmes amorittes –, comme l'exigent ses parents. Pendant ce temps, Esaü devient prospère. Ce n'est qu'à son retour d'exil que Jacob pourra s'épanouir et finira par exercer le pouvoir en Égypte.

Le récit de cette querelle et le choix des femmes d'Esaü sont révélateurs. Par la suite, en plus de l'analyse du contexte biblique, des faits et des interprétations historiques viendront renforcer la preuve.

Pour un plat de lentilles

Un retour en arrière nous fera mieux comprendre l'évolution de la relation entre les deux frères. La Bible fait grand état des subterfuges et de la détermination dont Jacob fait preuve pour acquérir le droit d'aînesse d'Ésaü. Les Chapitres 25, 27 et 28 en témoignent: ils se situent bien avant le récit de la famine, et donc avant la prise de pouvoir des Hyksôs en Égypte.

On apprend qu'Esaü, tout jeune, «méprise» son droit d'aînesse au profit de Jacob, c'est-à-dire qu'il en fait peu de cas:

> *Gn 25:34 Et Jacob donna à Ésaü du pain et du potage de lentilles; et il mangea et but, et se leva; et s'en alla: et **Ésaü méprisa son droit d'aînesse**.*

C'est beaucoup plus tard, en se faisant passer pour Esaü, que Jacob reçoit la bénédiction de leur père floué:

> *Gn 27:24 **Es-tu vraiment mon fils Ésaü?***

> *Gn 27:25 **Et il dit: Je le suis**. Et il dit: Sers-moi, et que je mange du gibier de mon fils, afin que mon âme te bénisse. Et il le servit, et il mangea; et il lui apporta du vin, et il but.*
>
> ...

> *27:30 **Et comme Isaac avait achevé de bénir Jacob, et que Jacob** était à peine sorti de devant Isaac, son père, il arriva qu'Ésaü, son frère, revint de sa chasse.*

Mais Esaü ne l'entend pas de la sorte. Il est furieux:

> *Gn 27:34 Lorsque Ésaü entendit les paroles de son père, il jeta un cri très grand et amer; et il dit à son père: Bénis-moi, moi aussi, mon père!*

> *Gn 27:35 Et il (Isaac) dit: **Ton frère est venu avec ruse et a pris ta bénédiction.***
>
> ...

> *Gn 27:40 Et tu vivras de ton épée, **et tu serviras ton frère**; et il arrivera que lorsque tu seras devenu nomade, tu briseras son joug de dessus ton cou.*

> *Gn 27:41 **Et Ésaü eut Jacob en haine**, à cause de la bénédiction dont son père l'avait béni; et Ésaü dit en son cœur: **Les jours du deuil de mon père approchent, et je tuerai Jacob, mon frère**.*

Querelle, jalousie ou choix délibéré imposé en invoquant les intérêts supérieurs de la dynastie amorrite? On se souviendra qu'Ismaël est écarté du trône au profit d'Isaac parce qu'il n'est pas un «pur» Amorrite. À la suite des menaces proférées par son frère, Jacob s'enfuit chez Laban pour y prendre épouse.

De quelle origine sont les femmes qu'Esaü et Jacob prennent pour épouses?

Gn 28:6 **Et Ésaü vit qu'Isaac avait béni Jacob,** *et l'avait fait partir pour Paddan-Aram pour y prendre une femme, et qu'en le bénissant il lui avait commandé, disant: Tu ne prendras pas de femme d'entre les filles de Canaan;*

Gn 28:7 et que **Jacob avait écouté son père et sa mère,** *et s'en était allé à Paddan-Aram;*

Gn 28:8 alors Ésaü vit que **les filles de Canaan étaient mal vues** *d'Isaac, son père;*

Gn 28:9 et **Ésaü s'en alla vers Ismaël, et prit pour femme,** *outre les femmes qu'il avait,* **Mahalath, fille d'Ismaël,** *fils d'Abraham, sœur de Nebaïoth.*

Esaü n'écoute guère les consignes de ses parents. En plus de la fille d'Ismaël, il épousera des filles cananéennes et hittites:

Gn 36:2 **Ésaü prit ses femmes** *d'entre les filles de Canaan:* **Ada, fille d'Élon, le Héthien;** *et Oholibama, fille d'Ana,* **fille de Tsibhon, le Hévien;**

...

Gn 26:34 Et Ésaü était âgé de quarante ans, et **il prit pour femmes** *Judith, fille de Beéri, le Héthien, et Basmath,* **fille d'Élon, le Hétien;**

Or, ces femmes hittites, cananéennes et partiellement égyptiennes – par Ismaël – ne répondent pas aux normes amorrites:

Gn 26:35 et elles furent une amertume d'esprit pour Isaac et pour Rebecca.

Il est clair que le choix d'Esaü ne plaît pas à ses parents. C'est pourquoi Jacob sera sans doute désigné comme l'héritier. Il rentre après plusieurs années d'exil au cours desquelles il s'est enrichi aux dépens de Laban.[149]

La Bible nous apprend qu'entre-temps, Ésaü est devenu un seigneur important, plus riche que son frère Jacob et qu'il dispose d'une armée puissante. Cet épisode a lieu bien avant la famine et la prise de pouvoir en Égypte. Ésaü habite Édom lorsque Jacob rentre de chez Laban:

> *Gn 32:3 Et Jacob envoya devant lui des messagers à Ésaü, son frère, au pays de Séhir, dans la campagne d'Édom;*
>
> *Gn 32:4 et il leur commanda, disant: Vous parlerez ainsi à **mon seigneur Ésaü**: Ainsi a dit ton serviteur Jacob: J'ai séjourné chez Laban, et m'y suis arrêté jusqu'à présent;*
>
> *Gn 32:5 et j'ai des bœufs, et des ânes, du menu bétail, et des serviteurs et des servantes; et je l'ai envoyé annoncer **à mon seigneur,** afin de trouver grâce à tes yeux.*
>
> *Gn 32:6 Et les messagers revinrent vers Jacob, disant: Nous sommes allés vers ton frère, vers Ésaü, et même il vient à ta rencontre, et quatre cents hommes avec lui.*

Jacob est naturellement inquiet du sort qu'Esaü lui réserve. Il semble que la bonne fortune et les années passées ont tempéré les ardeurs de son frère. Celui-ci ne semble plus garder rancune et accueille chaleureusement Jacob.

La famine qui survient quelques années plus tard poussera peut-être Isaac et Esaü vers le grenier d'Égypte où ils auraient exercé le pouvoir sur la région du Delta. La géographie du territoire rend cette théorie plausible, car la région d'Edom jouxte l'Égypte par la péninsule du Sinaï jusqu'au Golf d'Aqaba. Si Isaac domine la région du Delta et qu'Esaü contrôle déjà une partie

---

149 Jacob servira Laban pendant «vingt ans», c.-à-d. 12 ans en 6/10. Voir Gn 31:41

d'Edom par son mariage avec la fille d'Ismaël (on se souvient qu'Edom est le territoire d'Ismaël), il ne serait pas surprenant de retrouver le père et son fils diriger ensemble le pays.

Étant le frère jumeau de Jacob, Esaü est de lignée aussi « pure » que lui. Et à titre d'aîné, il doit naturellement exercer le pouvoir. Mais sa descendance pose problème : en enfreignant la règle de l'endogamie, Esaü menace la dynastie amorrite. On lui permet donc de régner, mais sa succession doit rester à l'écart du pouvoir. À sa mort, c'est à son frère Jacob et à ses descendants que reviendra le trône.

Les descendants de Sheshi étant écartés au profit de Yakub-her, on trouve peut-être ici la confirmation de la querelle des deux frères au sujet du droit d'aînesse. Se peut-il qu'elle soit à l'origine de la guerre fratricide qui perdure entre Israéliens, descendants d'Isaac et de Jacob, et Arabes, descendants d'Ismaël et d'Esaü ?

En résumé

- La Bible décrit la longue querelle au sujet du droit d'aînesse d'Esaü, qui finira par revenir à Jacob.

- Furieux, Esaü menace de tuer son frère. Jacob s'exile pendant de nombreuses années chez Laban.

- Devenu un riche seigneur important, Esaü exerce le pouvoir. Mais ses descendants ont le sang trop « impur » pour perpétuer la dynastie.

- Plusieurs historiens croient que Salatis-Sheshi arrive au pouvoir vers 1650. Selon nos calculs, Isaac et Esaü prennent le pouvoir en 1649.

- Si Sheshi et Esaü ne font qu'un, Jacob lui succède à sa mort.

- La guerre fratricide qui perdure entre Israéliens et Arabes trouverait peut-être une origine très lointaine dans cette querelle de succession.

Jacob bénit Pharaon

L'hypothèse voulant qu'Esaü est le roi hyksôs Sheshi s'insère dans la logique biblique et semble s'appuyer sur le choix des épouses des frères jumeaux. Mais ces informations ne sont que des éléments d'une preuve circonstancielle. Aucun fait historique concret ne permet pour l'instant de confirmer ces liens. Cependant, des indications attestant que Sheshi-Esaü meurt à l'âge de 78 ans, soit à l'âge auquel son frère jumeau Yakub-her – Jacob prend le pouvoir en Égypte, renforceraient l'hypothèse.

La Bible n'offre pas beaucoup de détails sur Esaü, à part sa généalogie. Par contre, s'il est réellement le pharaon qui précède Jacob, il est intéressant d'analyser la relation que Jacob entretient avec lui dans le but d'y déceler d'autres informations.

Certains détails de l'entrée de Jacob en Égypte retiennent l'attention. C'est le curieux passage où Joseph présente son père à pharaon. Ces versets apportent peut-être un éclairage additionnel, car ils se situent chronologiquement après la famine, donc après la prise de pouvoir des Hyksôs en Égypte :

Gn 47:7 Et Joseph fit entrer Jacob, son père, et le fit se tenir devant le Pharaon; et Jacob bénit le Pharaon.

*Gn 47:8 Et **le Pharaon dit à Jacob** : Combien sont les jours des années de ta vie?*

*Gn 47:9 Et **Jacob dit au Pharaon** : Les jours des années de mon séjournement sont cent trente ans; les jours des années de ma vie ont été courts et mauvais, et ils n'ont pas atteint **les jours des années de la vie de mes pères,** dans les jours de leur séjournement.*

Gn 47:10 Et Jacob bénit le Pharaon, et sortit de devant le Pharaon.

L'interprétation théologique classique laisse perplexe, car on comprend mal en quel honneur Jacob bénirait le Pharaon d'Égypte : de quelle autorité s'investirait ce simple «bédouin» face à l'homme le plus puissant de la région? Un tel comportement ne trouve aucune explication vraisemblable. De plus, curieuse réponse que celle de Jacob : il parle de sa vie au passé et semble se plaindre d'être malade et de n'avoir pas vécu aussi vieux que ses ancêtres !

Si le nom d'Isaac a été clairement introduit dans le récit du test de loyauté (Gn 22) dans le but d'imposer une certaine interprétation des textes, pourquoi ce passage avec Pharaon n'aurait-il pas subi le même sort ?

En manipulant subtilement le texte, il est possible d'en obtenir une nouvelle interprétation. Il suffit de rétablir l'ambiguïté en remplaçant les sujets « Jacob » et « Pharaon » par « il » dans les versets Gn 47:8 et Gn 47:9 :

> *Gn 47:7 Et Joseph fit entrer Jacob, son père, et le fit se tenir devant le Pharaon ; et Jacob bénit le Pharaon.*

> *Gn 47:8 Et **il lui dit** : Combien sont les jours des années de ta vie ?*

> *Gn 47:9 Et **il lui répondit** : Les jours des années de mon séjournement sont cent trente ans ; les jours des années de ma vie ont été courts et mauvais, et ils n'ont pas atteint les jours des années de la vie de mes pères, dans les jours de leur séjournement.*

Jacob est toujours en train de bénir Pharaon. Mais cette bénédiction revêt un sens fort différent si ce dernier n'est autre que son propre frère Esaü à l'article de la mort et sur le point de lui transmettre le pouvoir (tel qu'on l'a vu précédemment, Jacob semble survivre dix ans à son frère).

Étant jumeaux, l'un et l'autre peuvent effectivement prétendre avoir 78 ans (=130x6/10) et la chronologie de l'histoire n'en est pas affectée. Par contre, Esaü aurait raison de se plaindre, car Abraham et Isaac sont morts à un âge beaucoup plus avancé. De plus, cet âge pourtant vénérable expliquerait l'enthousiasme d'Esaü à nommer le jeune et brillant Joseph à la tête du pays quelques années plus tôt.

Naturellement, dans la perspective de la religion de Yahvé, un copiste bien intentionné aura été tenté de «clarifier» ce passage afin de lever toute ambiguïté. L'exemple du verset suivant montre clairement que les sujets ne sont pas toujours bien définis dans ce style de narration. En effet dans cette discussion entre Jacob et Isaac, qui sont ces «il»? :

> *Gn 27:25* **Et il dit** *: Je le suis.* **Et il dit** *: Sers-moi, et que je mange du gibier de mon fils, afin que mon âme te bénisse.* **Et il le servit**, *et* **il mangea** *; et* **il lui apporta** *du vin, et* **il but***.*

Voilà pourquoi nous croyons que les noms propres «Jacob» et «Pharaon», utilisés dans les versets Gn 47:8 et Gn 47:9 des textes qui nous sont parvenus, ont remplacé les pronoms impersonnels «il» d'origine.

Le «pharaon» anachronique

Mais comment Esaü pourrait-il être «pharaon» s'il n'y avait pas de pharaon en Égypte à cette époque? En effet, de nombreux historiens réfutent l'historicité des Patriarches en invoquant l'utilisation anachronique du terme «Pharaon» dans le récit.

Pour Christiane Desroches Noblecourt, la première attestation de l'utilisation du terme «per-aâ» pour désigner le souverain d'Égypte, remonte à l'an douze du règne de la reine Hatchepsout et de son neveu, Thoutmôsis III.[150] Or, Hatchepsout est la fille de Thoutmôsis Ier qui succède à Amenhotep Ier, fils d'Ahmose. Elle règne donc sur l'Égypte une cinquantaine d'années seulement après l'expulsion des Hyksôs.

À la lumière des présentes informations, il faut envisager la possibilité que ce terme ait été introduit par les Hyksôs-Patriarches eux-mêmes. Lorsqu'ils ont été chassés du pays, ce sont les Égyptiens qui reprendront à leur compte l'utilisation de ce terme, une ou deux générations plus tard. Il ne faut donc pas s'étonner de voir le

---

150   Christiane Desroches Noblecourt, *La reine mystérieuse*, Pygmalion, p. 134.

terme «Pharaon» appliqué à Esaü, ainsi qu'aux autres Hyksôs qui exerçaient une certaine forme de pouvoir local dans la région du Delta avant lui.

On se souvient que «pharaon» signifie *grande maison*. En parlant de la famille et des leurs, les Patriarches font souvent allusion à leur «maison». L'expression «grande maison» est donc un terme qui pourrait s'appliquer à celui qui règne sur Avaris et sur l'ensemble de la région.

En résumé

- Le plus grand respect des textes a incité les auteurs de la Bible à une retenue évidente pour éviter de les altérer. Ceux-ci ont quand même cherché à lever certaines ambiguïtés par l'introduction de noms propres dans le texte «sacré».

- La curieuse bénédiction de Pharaon prendrait tout son sens si ce dernier était Esaü, agonisant sur son lit de mort et prêt à transmettre le pouvoir à Jacob.

- Comme Esaü et Jacob sont frères jumeaux, les deux peuvent avoir 78 ans.

- Le terme «Pharaon», qui désigne le souverain d'Égypte, n'apparaît dans les textes égyptiens qu'à l'époque de la reine Hatchepsout. Nous croyons qu'il était déjà employé par les Hyksôs, mais qu'après leur expulsion du pays, ce terme a pris un certain temps à réapparaître.

L'alphabet selon Esaü

Un dernier indice du pouvoir d'Esaü se trouve peut-être dissimulé dans le Chapitre 36 qui donne la généalogie de sa famille, sans doute la plus détaillée de la Genèse. À première vue, ce souci du détail surprend car Esaü n'apparaît pas vraiment comme une personnalité marquante du récit des Patriarches. Le Chapitre 36 énumère non seulement ses enfants mais aussi ses «chefs». Comment ce terme peut-il nous éclairer sur la véritable nature d'Esaü?

> Gn 36:40 Et ce sont ici les noms des chefs d'Ésaü, selon leurs familles, selon leurs lieux, par leurs noms: le chef Thimna, le **chef** Alva, le chef Jetheth,
>
> Gn 36:41 le **chef** Oholibama, le **chef** Éla, le **chef** Pinon,
>
> Gn 36:42 le **chef** Kenaz, le **chef** Théman, le **chef** Mibtsar, le **chef** Magdiel, le **chef** Iram.
>
> Gn 36:43 Ce sont là les **chefs** d'Édom, selon leurs habitations dans le pays de leur possession. **C'est Ésaü, père d'Édom.**

Mais que signifie «chef»? Et pourquoi attribue-t-on ce titre aux descendants d'Esaü? Dans la Bible hébraïque, le terme employé pour désigner cette fonction de «chef» est «אלוּף» (alouph ou aluf). Dans l'armée israélienne, «Aluf» désigne encore aujourd'hui le grade le plus élevé, l'équivalent de général. Seuls les descendants d'Esaü sont qualifiés d'«Aluf» dans la Genèse: serait-ce un «prix de consolation» en compensation de la perte de l'héritage qui est allé aux descendants de Jacob? Car ces descendants deviennent effectivement les «chefs» de la région d'Édom. Mais d'où provient le terme «Aluf»? Et que signifie-t-il?

Il est intéressant de constater que plusieurs auteurs rapprochent volontiers le terme «aluf» de la lettre «alef ou aleph» (א en hébreu et α en grec), celle qui a donné naissance à notre

«A».[151] Il ne s'agit pas d'un simple hasard. La valeur numérique d'aleph est «1». Elle est non seulement la première lettre de l'alphabet, mais aussi la plus importante: elle est le symbole de Dieu, du Dieu unique, de l'Unité absolue. Il ne fait donc aucun doute qu'il s'agit depuis toujours d'un terme associé au pouvoir et à l'unicité.

L'origine du symbole «aleph» provient de l'alphabet proto-sinaïque. Ancêtre de l'hébreu et de l'araméen, cet alphabet a été inventé par un peuple sémitique qui travaillait dans les mines de turquoise.[152] Il est sans doute relié aux populations hyksôs. Cet alphabet a joué un rôle très important car il a influencé le phénicien, ancêtre de l'alphabet grec moderne. Contrairement à l'alphabet cunéiforme caractérisé par un assemblage de traits, le proto-sinaïque exprime les lettres par des images.[153] Des «graffitis» retrouvés sur le site de Serabit el-Khadim dans la péninsule du Sinaï remontent à la fin de la période des Hyksôs. La forme de la lettre proto-sinaïque «aleph» est une tête de taureau.[154] Elle a évolué du α grec (une tête de taureau couchée) vers le A moderne (une tête de taureau renversée):

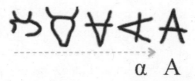

34: Évolution de la lettre «A»

---

151 Norman Lamm, *The Religious Thought of Hasidism: Text and Commentary*, KTAV Publishing House, Inc., 1999, p. 32

152 Christiane Desroches Noblecourt, *Le fabuleux héritage de l'Egypte ancienne*, Édition Pocket, 2006, p. 131

153 Ibid. p. 127

154 Karl Menninger, Paul Broneer, *Number Words and Number Symbols: A Cultural History of Numbers*, Courier Dover Publications, 1992, p. 122

Mais outre la grande similitude de vocalisation entre *aluf* et *aleph*, ces deux termes offrent également une parfaite adéquation entre le symbole et la fonction. En effet, le dieu Baal était représenté à l'époque par un veau ou une tête de taureau avec ses cornes et Baal signifie également «seigneur».

Par ailleurs, on sait que Jacob s'adressait à son frère Esaü en employant le terme «seigneur»:

> *Gn 32:4 et il leur commanda, disant: Vous parlerez ainsi à **mon seigneur Ésaü**: Ainsi a dit ton serviteur Jacob: J'ai séjourné chez Laban, et m'y suis arrêté jusqu'à présent;*

> *Gn 32:5 et j'ai des bœufs, et des ânes, du menu bétail, et des serviteurs et des servantes; et je l'ai envoyé annoncer **à mon seigneur,** afin de trouver grâce à tes yeux.*

Pourquoi alors les noms des chefs d'Esaü n'auraient-ils pas été précédés du symbole de puissance *Aluf* (𐂀) à l'instar du dingir akkadien (𒀭) apposé devant le nom des dieux? En Égypte, le nom du roi s'écrit effectivement dans un cartouche précédé de son titre – par exemple, celui d'Horus est le faucon (𓅃).

Replacée dans le contexte d'une compilation des textes sacrés, la lecture des textes d'origine aura incité le lecteur ignorant – ou incrédule – à remplacer ce symbole par le nom de la lettre «aleph», plutôt que par celui de l'idéogramme «Baal» qu'il était censé représenter.

On trouverait alors ici un témoignage éloquent du statut particulier de ces hommes puissants, qui se perpétue aujourd'hui dans les plus hautes sphères du pouvoir israélien.

35: La déesse de Hathor

Sur cette statue retrouvée par Flinders Petrie en 1905 EC, une inscription en hiéroglyphes la présente comme «Déesse Turquoise, bien aimée de Hathor». La déesse de Hathor est représentée par une vache, femelle du taureau. Une inscription en proto-sinaïque est traduite par «Baalat», soit le féminin de Baal selon Alan Henderson Gardiner.[155]

Le nom «Baalat» s'écrit « □◁ʔ乂 » en proto-sinaïque. En effet, une «déesse» ne pourrait être représentée par le symbole «ᗄ» car le suffix «at» ne peut s'ajouter à un symbole sans que la lecture porte à confusion. Il convient donc d'utiliser le symbole ou d'écrire le mot au moyen des lettres qui forment son vocable.

En résumé

- On accorde aux descendants déchus d'Esaü, sans doute en guise de consolation, le titre honorifique d'«Aluf», qui est encore utilisé aujourd'hui pour désigner le plus haut grade dans l'armée israélienne.

- Contrairement à l'alphabet cunéiforme, le proto-sinaïque utilise des symboles pour représenter les lettres.

- La lettre «aleph» est associée au pouvoir et à l'unicité de Dieu.

---

155   Alan Henderson Gardiner, *Egypt of the Pharaohs: An Introduction*, Oxford University Press US, 1964, p. 25

- Le symbole représentant la lettre «aleph» est le taureau, symbole de puissance qui représente «Baal» chez les Amorrites, comme le faucon représente le puissant Horus chez les Égyptiens.

- Y aurait-il eu confusion entre le nom «aleph» et la fonction «Baal» que la lettre représente?

– 10 –

Éphraïm, l'élu de Jacob

Contrairement aux données recueillies dans le récit d'Abraham, les informations qui permettent un rapprochement entre Esaü et le pharaon hyksôs Sheshi demeurent très circonstancielles. Si les faits rapportés convergent vers une identification positive, il serait néanmoins hardi d'en tirer une franche conclusion. On peut donc espérer que d'autres recherches viendront éventuellement confirmer ou infirmer cette nouvelle théorie. Pour l'instant, restons-en à la simple curiosité.

Toujours à la recherche de liens possibles entre les derniers pharaons hyksôs et les Patriarches, analysons les autres fragments d'information disponibles. Les quelques bribes qui subsistent offrent des perspectives qui méritent d'être retenues. Les deux derniers pharaons hyksôs sont Apophis et Khamoudi. Que sait-on d'eux? Peut-on tenter un rapprochement avec les Patriarches? Comment s'est terminée l'épopée des Hyksôs en Égypte? Peut-on toujours raccorder les chronologies biblique et historique? Voici autant de questions auxquelles nous allons maintenant nous intéresser.

Les Hyksôs expulsés

Heureusement, la montée en puissance des XVIIe et XVIIIe dynasties égyptiennes qui expulsent les Hyksôs du pays est mieux documentée. Des missives et autres vestiges apportent un éclairage permettant de reconstruire la séquence des événements qui ont mené à cette expulsion :

- *Le papyrus de Sallier I fait état d'une querelle entre le roi hyksôs Apophis et le roi thébain Séquénenrê Taâ II au sujet du bruit que font les hippopotames. Ils empêcheraient Apophis de dormir malgré la très grande distance qui sépare ces deux rois : ceux-ci étaient donc contemporains.[156]*

- *Le règne de Séquénenrê Taâ II ne dure que trois ou quatre ans. Séquénenrê Taâ II est mort à la suite de graves blessures à la tête, infligées probablement lors d'une bataille contre Apophis.[157]*

- *Son fils Kamosé lui succède. À l'occasion d'une campagne militaire, il parvient à intercepter un message qu'Apophis tente d'acheminer à un de ses alliés. Kamosé meurt après cinq années de règne seulement.[158]*

- *C'est à Ahmose, le jeune frère et successeur de Kamosé, que revient la tâche de poursuivre, et éventuellement de conclure, la bataille contre les Hyksôs. Apophis est toujours vivant car le papyrus de Rhind rédigé lors de la 33e année de son règne mentionne Ahmose : Apophis a donc vécu au moins jusqu'à cet âge.[159]*

---

156   P Mack Crew, I. E. S. Edwards, J. B. Bury, Cyril John Gadd, Nicholas Geoffrey, Lemprière Hammond, E. Sollberger, *The Cambridge Ancient History: C. 1800-1380 B. C.*, Cambridge University Press, 1973, p. 72

157   Ibid. p. 289

158   Ibid. p. 291

159   Nicolas Grimal, Ian Shaw, *A History of Ancient Egypt*, Blackwell Publishing, 1994, p. 186

- *À la mort d'Apophis, Khamoudi lui succède. Il repousse une attaque d'Ahmose au cours de sa 11ᵉ année de règne. Mais Ahmose réussira à conquérir Avaris l'année suivante, vers la 18ᵉ année de son règne. Les Hyksôs seront repoussés jusqu'à Sharuhen en Judée et résisteront à un siège pendant trois ans avant de disparaître de l'histoire. Ils ne seront plus jamais une menace pour l'Égypte.[160]*

Si les données précédentes sont attestées, il n'y a toujours pas unanimité sur les dates des règnes des rois thébains Séqénenrê Taâ II, Kamosé et Ahmose qui expulsent les Hyksôs d'Égypte.

Le tableau suivant rapporte les dates de début et de fin de règne généralement admises, ainsi que l'étendue des variations proposées :

Rois thébains	Dynastie	Dates proposées
Séqénenrê Taâ II	XVIIᵉ	Plage : 1591/1558 à 1576/1545
Kamosé	XVIIᵉ	Plage : 1576/1545 à 1570/1539
Ahmose I	XVIIIᵉ	Plage : 1570/1530 à 1546/1504

Ainsi, E. F. Wente suggère que le règne d'Ahmose se déroule de 1570 à 1546 alors que H. W. Helck le situe une quarantaine d'années plus tard, soit de 1530 à 1504. Toutefois, il semble que la plupart des spécialistes se rallient autour du règne médian de 1550 à 1525 proposé par Reeves, Arnold, von Beckerath, Shaw et Kitchen.[161]

160 John Bright, William P. Brown, *A History of Israel*, Westminster John Knox Press, 2000, p. 60

161 Ian Shaw, *The Oxford History of Ancient Egypt*, Oxford University Press, 2002, p. 461

En résumé

- Un ensemble de preuves archéologiques témoignent de relations entre les deux derniers Hyksôs et les rois thébains qui les expulsent.

- Trois rois thébains se succèdent pour expulser les Hyksôs : Séqénenrê Taâ II, Kamosé et Ahmose I.

- Les historiens situent le règne de ces trois rois entre 1591 et 1504.

Le long règne d'Apophis

Selon Ryholt, Apophis est le roi hyksôs qui a succédé à Khyan, le Joseph biblique, et a régné sur l'ensemble de l'Égypte pendant de nombreuses années.[162] Il semble qu'il ait eu de bons rapports avec les rois thébains pendant la première partie de son règne. Sans doute les Hébreux jouissent-ils d'un statut particulier jusqu'à l'arrivée de Séqénenrê Taâ II qui déclenche les hostilités.

Si l'on accorde un règne de 35 à 50 ans à Apophis – ou à deux rois s'étant succédé et ayant porté sensiblement le même nom, tel que suggère N. Grimal –, les dates permettent de raccorder la chronologie des Patriarches hyksôs proposée plus haut à celle qui est généralement admise pour les rois thébains des XVIIᵉ et XVIIIᵉ dynasties qui ont procédé à leur expulsion.[163]

La précision de ce « raccord chronologique » est importante car elle va rendre crédible toute théorie de rapprochement entre ces derniers Hyksôs et les Patriarches. En effet, si les dates connues sur les rois thébains qui ont expulsé les Hyksôs hors d'Égypte ne concordent pas avec la fin des règnes d'Apophis et de Khamoudi, c'est l'impasse.

---

162 Kim Ryholt, *The Political Situation in Egypt during the Second Intermediate Period c.1800-1550 B.C.*, Museum Tuscalanum Press, 1997

163 Nicolas Grimal, Ian Shaw, *A History of Ancient Egypt*, Blackwell Publishing, 1994

En plus des informations recueillies plus haut qui ont permis d'établir des liens entre les rois thébains et ces deux Hyksôs, il est également utile d'étudier les liens qui auraient pu exister entre Apophis et Khamoudi – le dernier roi hyksôs – et ceux qui les ont précédés, c'est-à-dire les Patriarches.

À ce titre, il est intéressant de constater qu'il y a déjà plus d'un siècle, Rawlison soulignait une vieille tradition qui associe Apophis au pharaon ayant vécu à la même époque que Joseph. Il écrivait :

« *Il y avait une ancienne tradition voulant que le roi qui fit de Joseph son premier ministre et qui lui confia l'administration de toute l'Égypte, était Apepi. George le Syncelle dit que le synchronisme était accepté de tous.* »[164]

Georges de Syncelle est un chroniqueur byzantin de la seconde moitié du VIIIᵉ siècle EC. Il est l'auteur d'une création du monde jusqu'au règne de Dioclétien (284 AEC). Si on en croit Rawlinson, cette tradition semblait faire unanimité à l'époque. Bien qu'elle ait été influencée par l'interprétation théologique, cette tradition accrédite malgré tout l'idée que Joseph et Apophis ont vécu à la même époque. Si l'on accepte notre hypothèse que Khyan et Joseph sont une seule et même personne et qu'Apophis succède à Khyan, notre recherche est en parfait accord avec cette tradition.

Mais comme celle-ci rapporte l'existence d'un lien de confiance positif entre les deux hommes, il semble y avoir une contradiction. En effet, Ryholt explique que Khyan avait désigné son fils Yanassi pour lui succéder.[165] Pourtant, l'histoire nous apprend que c'est Apophis qui lui succède. Alors, si Khyan est

---

164   George Rawlinson, *Ancient Egypt,* Fifth Edition, Fisher Unwin, 1886, p. 145

165   Kim Ryholt, *The Political Situation in Egypt during the Second Intermediate Period c.1800-1550 B.C.*, Museum Tuscalanum Press, 1997

véritablement Joseph, comment ce dernier pourrait-il être en bons termes avec Apophis ?

En résumé

- Si l'on accorde un règne de 35 à 50 ans à Apophis (on sait qu'il a régné plus de 33 ans), notre chronologie s'insère parfaitement dans l'histoire.

- Une « ancienne tradition » veut qu'Apophis et Joseph soient contemporains. La théorie mise de l'avant dans cet ouvrage est conforme à cette idée.

- Comment Joseph pourrait-il être en bons termes avec Apophis si ce dernier empêche Manassé de prendre le pouvoir ?

Jacob bénit Apophis

Les événements rapportés dans la Bible s'insèrent dans cette perspective historique. Voyons comment elle nous éclaire. Juste avant de mourir, Jacob, aussi appelé Israël, fait venir Joseph et ses deux fils Éphraïm et Manassé pour leur donner sa bénédiction :

> *Gn 48:13 Et Joseph les prit les deux, Éphraïm de sa main droite, à la gauche d'Israël, et Manassé de sa main gauche, à la droite d'Israël, et les fit approcher de lui ;*

> *Gn 48:14 mais Israël étendit sa main droite, et la posa sur la tête d'Éphraïm (or il était le plus jeune), et sa main gauche sur la tête de Manassé, plaçant ainsi ses mains à dessein, car Manassé était le premier-né.*

> *Gn 48:15 Et il bénit Joseph, et dit : Que l'Élohim devant la face duquel ont marché mes pères, Abraham et Isaac, l'Élohim qui a été mon berger depuis que je suis jusqu'à ce jour,*

> *Gn 48:16 l'Ange qui m'a délivré de tout mal, bénisse ces jeunes hommes ; et qu'ils soient appelés de mon nom et du nom de*

mes pères, Abraham et Isaac, et qu'ils croissent pour être une multitude au milieu du pays.

Gn 48:17 **Et Joseph vit que son père posait sa main droite sur la tête d'Éphraïm**, *et cela fut mauvais à ses yeux; et il saisit la main de son père pour la détourner de dessus la tête d'Éphraïm et la poser sur la tête de Manassé.*

Gn 48:18 Joseph dit à son père: **Pas ainsi, mon père***; car celui-ci est le premier-né; mets ta main droite sur sa tête.*

Gn 48:19 **Et son père refusa***, disant: Je le sais, mon fils, je le sais; lui aussi deviendra un peuple, et lui aussi sera grand; toutefois son frère, qui est le plus jeune, sera plus grand que lui, et sa semence sera une plénitude de nations.*

*Gn 48:20 Et il les bénit ce jour-là, disant: En toi Israël bénira, disant: Élohim te rende tel qu'Éphraïm et que Manassé! **Et il mit Éphraïm avant Manassé.***

Gn 48:21 Et Israël dit à Joseph: Voici, je meurs; et Élohim sera avec vous, et vous fera retourner dans le pays de vos pères.

Gn 48:22 Et moi, je te donne, de plus qu'à tes frères, une portion que j'ai prise de la main de l'Amoréen avec mon épée et mon arc.

Compte tenu de l'historique familial, on soupçonne que Manassé épouse une non-Amorrite, donc une femme au sang «impur» aux yeux de son grand-père Jacob. Ce dernier accorde donc sa bénédiction à Éphraïm, au grand dam de Joseph.

Ce revirement de situation n'est pas sans rappeler la succession ratée de Yanassi. Si Éphraïm est préféré à Manassé dans la Bible et que l'histoire nous apprend qu'Apophis devient pharaon à la place de Yanassi, la question se pose: Apophis serait-il l'Éphraïm de la Bible? Le lien semble tout à fait envisageable.

Apophis s'écrit aussi bien Apofis ou Apepi. En égyptien, ce nom s'écrit «*ipp*». On sait qu'Apophis vénérait le dieu Rê car son nom de trône était Apepi Âa-qen-en-Rê *(L'énergie de Rê est grande)*.

La forme contractée de son nom pourrait donc être Apepi-Rê, ou Ipp-Rê.

Rappelons qu'Abram devient Abraham lorsqu'il conclut l'Alliance avec Dieu :

> *Gn 17:4 Quant à moi, voici mon alliance est avec toi, et tu seras père d'une multitude de nations ;*

> *Gn 17:5 et ton nom **ne sera plus appelé Abram**, mais ton nom **sera Abraham**, car je t'ai établi père d'une multitude de nations.*

> *Gn 17:6 Et je te ferai fructifier extrêmement, et je te ferai devenir des nations ; et des rois sortiront de toi.*

Et comme Abraham peut tout aussi bien s'écrire Ibraïm, Ipp-Rê ne pourrait-il pas devenir Ipp-Rê-Ïm pour les Hébreux ? On s'approche alors de la forme « Éphraïm ».

36: Sphinx hyksôs – Roi Apepi

Sur cette photo de J. Pascal Sebah prise au Musée de Ghizeh au siècle dernier, on peut voir des sphinx hyksôs. Le nom d'Apepi apparaît sur l'un d'entre eux. Le style, la pose et l'allure de ces statues ne sont pas sans rappeler ceux de la statue de la déesse turquoise « Baalat ». Coïncidence ou indication que les Hyksôs s'étaient maintenant élevés au rang de « Baal » ?

En résumé

- La Bible nous apprend que Jacob désigne Éphraïm comme successeur de Joseph à la place de Manassé.

- L'histoire nous apprend que Apophis succède à Khyan à la place de Yanassi.

- « Ipp-Rê-Ïm » s'approche de la forme « Éphraïm ».

- La statue d'Apophis est du même style et a la même forme que celle de la déesse turquoise « Baalat ».

Ézer meurt au combat

Curieusement, vers le milieu du règne d'Apophis, on observe un changement de nom de Apepi Âa-qen-en-Rê (*L'énergie de Rê est grande*) en Apepi Âa-ouser-Rê (*La force de Rê est grande*). Compte tenu de la grande similitude dans le sens du nom, une majorité de spécialistes voient en ces deux noms le même individu. Mais il n'y a pas unanimité et certains, dont Grimal, continuent de croire qu'il aurait pu s'agir de deux pharaons différents.

Par ailleurs, la Bible nous apprend qu'un des fils d'Éphraïm s'appelle Ézer (1 Chroniques 7:21). Ce nom s'apparente étrangement à Âa-**ouser**-Rê qui succède à Âa-qen-en-Rê, ou qui assure peut-être la corégence avec lui. La chronologie et l'histoire d'Ézer autorisent-elles un tel rapprochement ?

Selon la Bible, Manassé et Éphraïm sont nés avant la famine, donc avant 1649 :

> *Gn 41:50 Et,* ***avant que vint l'année de la famine, il naquit à Joseph deux fils****, qu'Asnath, fille de Poti-Phéra, sacrificateur d'On, lui enfanta.*

> *Gn 41:51 Et Joseph appela le nom du premier-né Manassé: car Élohim m'a fait oublier toute ma peine, et toute la maison de mon père.*

Par ailleurs, Joseph était toujours vivant lorsque les fils d'Éphraïm et petit-fils de Manassé viennent au monde. Cette troisième génération est donc née avant 1601 :

Gn 50:23 Et Joseph vit les fils d'Éphraïm de la troisième génération ; les fils aussi de Makir, fils de Manassé, naquirent sur les genoux de Joseph.

Mais dans la Bible, une terrible épreuve attend Éphraïm :

1 Chr 7:21 et Zabad, son fils ; et Shuthélakh, son fils ; et Ézer, et Elhad. **Et les gens de Gath, qui étaient nés dans le pays, les tuèrent ; car ils étaient descendus** *pour prendre leurs troupeaux.*

1 Chr 7:22 Et Éphraïm, leur père, mena deuil pendant nombre de jours ; et ses frères vinrent pour le consoler.

1 Chr 7:23 Et il vint vers sa femme ; et elle conçut, et **enfanta un fils** *; et elle l'appela du nom de* **Beriha**, *car il était né quand le malheur était dans sa maison.*

Tous les fils d'Éphraïm sont donc tués alors qu'il est toujours vivant. Vieux et endeuillé, Éphraïm doit malgré tout engendrer un autre fils, Beriha, pour assurer sa descendance.

Mais comment et à quel âge Ézer, fils d'Éphraïm, meurt-il ? La Bible indique que tous les fils d'Ephraïm sont tués par les gens de «Gath». On associe généralement cette ville avec Tell es-Safi en Israël, bien que ce nom désigne plusieurs villes car le nom «gath» signife «presse à vin». Or on fabriquait aussi du vin à Thèbes, comme à bien d'autres endroits. On y a retrouvé des fresques de la XVIIIᵉ dynastie dépeignant des scènes de pressoir :

37: Presse à vin – fresque de Thèbes

N'est-il pas plausible que les fils d'Éphraïm trouvent plutôt la mort lors d'une bataille contre les Thébains qui se révoltent et cherchent à les expulser? Car Séqénenrê Taâ et les autres rois thébains sont effectivement «*nés dans le pays*», en Haute Égypte. Ils auraient donc très bien pu «*descendre*» vers eux en Basse Égypte. De plus, ce sont tous les héritiers d'Ephraïm qui meurent. Pour que ces fils de pharaon s'engagent militairement, il devait s'agir d'une bataille importante.

Comme Séquénenrê Taâ est le premier roi thébain à s'engager militairement contre les Hyksôs, on pourrait situer la mort d'Ézer dès 1591 en suivant la haute chronologie. Dans ce cas, Éphraïm avait 58 ans (=1649-1591) lors du décès de ces fils. À cet âge, il lui aurait été facile d'engendrer un dernier fils. Par contre, en suivant la chronologie moyenne qui situe plutôt le règne de Séqénenrê Taâ vers 1558, Ephraïm aurait eu 91 ans (=1649-1558). C'est un peu vieux pour engendrer! Mais si Séqénenrê Taâ est le premier roi thébain à avoir ouvertement déclenché les hostilités contre les Hyksôs, y-aurait-il eu quelques échauffourées non documentées dans les années qui précèdent son ascension? En fonction de la chronologie adoptée pour les rois thébains, Ézer est peut-être mort dès 1591 (haute chronologie) mais vraisemblablement plus près de 1558 (moyenne chronologie).

Shemida relève le défi

Comme tous les fils d'Éphraïm sont morts au combat, le plus proche aspirant au trône se trouve maintenant dans la famille de

Manassé. Celui-ci a effectivement un arrière-petit-fils du nom de Shemida. Étant donné que le « k » égyptien est presque muet, Shemida pourrait être Khamoudi, le dernier roi hyksôs à fouler la terre d'Égypte.

Selon la Bible, Shemida est le fils de Galaad (1 Chr 7:19), lui-même fils de Makir (Nbr 26:29) qui est le fils de Manassé (Gn 50:23). Si les fils de Makir « *naissent sur les genoux de Joseph* », on en déduit qu'un de ces fils, Galaad, aurait pu naître avant 1601 (année du décès de Joseph). En estimant à 20 ans la durée moyenne d'une génération, Makir est peut-être né aux environs de 1629 (=1649-20), soit 20 ans après la naissance de Manassé. Galaad aurait pu venir au monde 20 ans plus tard, soit vers 1609 (=1629-20), quelques années avant la mort de Joseph. En poursuivant le raisonnement, Shemida, fils de Galaad, aurait pu naître vers 1589 (=1609-20) alors qu'Éphraïm a 60 ans (=1649-1589). Ainsi, Shemida aurait pu assurer une corégence avec un Apophis – Éphraïm vieillissant.

Comment cette chronologie s'articule-t-elle avec celle des rois thébains qui succèdent à Séqénenrê Taâ? L'histoire nous apprend qu'Ahmose a sept ans lorsque son père Séqénenrê Taâ meurt après un court règne de trois ou cinq ans, entre 1576 et 1545. Une majorité de spécialistes situent son décès vers 1554. C'est son frère Kamosé qui devient le nouveau roi thébain. Apophis est toujours vivant. Si Ahmose assure une corégence avec son frère Kamosé, on peut donc situer le début de son règne dès 1554.

L'histoire nous apprend aussi qu'Apophis-Éphraïm vit assez vieux pour être le contemporain d'Ahmose et qu'à sa mort, Khamoudi lui succède. Comme le roi thébain Ahmose défait les Hyksôs à Sharuhen lors de sa 17e ou 18e année de règne et que cet événement correspond à la 11e année de règne du roi hyksôs Khamoudi, on conclut qu'Ahmose a dû prendre le pouvoir au moins six ans (=17-11) avant le décès d'Éphraïm.

Pour qu'il y ait « raccord » entre les chronologies biblique et historique, Éphraïm ne peut mourir que six ans après le début du règne d'Ahmose. Si Ahmose prend le pouvoir en 1554, Éphraïm doit donc atteindre l'âge vénérable de 101 ans (=1649-1554+6). Rappelons qu'Ézer n'est mort qu'une dizaine d'années plus tôt (=1558-1554+6). Dans ce cas, Shemida a 41 ans (=1589-1554+6) lorsqu'il hérite du pouvoir et 52 ans (=1589-1554+17) lors de la retraite des Hyksôs à Sharuhen et du siège qui s'ensuit. Et le très jeune âge de Beriha, dont la naissance suit la mort d'Ézer, l'état de guerre et la situation précaire qui prévaut donnent à Shemida l'autorité requise pour contrôler les destinées du pays.

Mais comme certains spécialistes, dont Edward F. Wente, suggèrent que Séqénenrê Taâ, Kamosé et Ahmose ont vécu une quinzaine d'années plus tôt, il est également possible d'envisager le décès d'Éphraïm dès l'âge de 86 ans.[166] Dans ce cas, Shemida aurait quinze ans de moins, soit 26 ans lors du décès d'Éphraïm et 37 ans lors du siège. Par contre, si Ézer meurt bel et bien à la suite d'une attaque menée par Séqénenrê Taâ, Beriha n'a toujours qu'une dizaine d'années à la mort d'Éphraïm car les dates de cette attaque seraient relatives à la mort d'Éphraïm.

Les dates que nous proposons sont donc tout à fait compatibles avec l'une ou l'autre des chronologies proposées pour les trois rois thébains qui libèrent l'Égypte des Hyksôs.

Finalement, d'autres éléments d'information viennent renforcer notre thèse. Dans la Bible, Éphraïm a également eu une fille du nom de Sheerah, nom qui s'apparente à Herit (Harat), fille d'Apophis.

*1 Chr 7 : 24 Et sa fille fut Shééra ; et elle bâtit **Beth-Horon,** la basse et la haute, et Uzzen-Shééra.*

---

166   Edward F. Wente and Charles C. Van Siclen III, *A Chronology of the New Kingdom, in Studies in Honor of George R. Hughes,* Oriental Institute, 1976

Elle bâtit Beth-Horon, ce qui signifie la « maison de Horon ».

Par ailleurs, on a retrouvé le nom de deux sœurs d'Apophis, Tany et Tcharydjet, ainsi que d'une de ses filles, Harat (ou Herit). Le lien entre Horon et Harat semble fort probable.

Ces noms, ces dates et cette chronologie ne permettent pas de tirer une conclusion définitive, mais elles ouvrent la voie à de nouvelles interprétations.

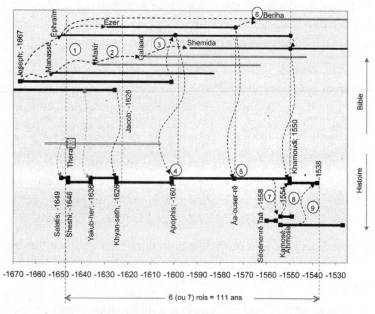

38: Éphraïm et Apophis

Ce tableau illustre la chronologie permettant d'associer Éphraïm à Apophis. Elle correspond aux chronologies classiques relatant l'expulsion des Hyksôs. Manassé et Éphraïm naissent avant la famine (1). Leurs fils Makir et Ézer viennent au monde avant que Jacob ne meurt (2). Joseph porte son petit-fils Galaad sur ses genoux (3). Respectant les instructions de Jacob, Éphraïm – plutôt que Manassé - succède à Joseph, (4). Éphraïm change son nom ou assure une corégence avec Ézer jusqu'à sa mort, entre (5) et (7). À la mort de ses fils, Éphraïm engendre Beriha (6), mais celui-ci est encore trop jeune pour exercer le pouvoir lorsque son père meurt. Séqénenrê Taâ meurt alors qu'Apophis est toujours vivant (7).

Son fils Kamosé lui succède, peut-être en corégence avec Ahmose. À la mort d'Éphraïm, c'est Shemida, arrière-arrière-petit-fils de Joseph, qui prendra en main la destinée des Hyksôs (8). Douze ans plus tard, lors de sa 17ᵉ année de pouvoir, Ahmose réussit à libérer l'Égypte (9).

En résumé

- Si Éphraïm atteint l'âge de 86 ans, ou plus, la chronologie proposée nous autorise à croire qu'il aurait pu être Apophis.

- Si Ézer est Âa-ouser-rê, il meurt en corégence, peut-être lors d'une attaque des Égyptiens, ce qui explique le changement de nom ainsi qu'une certaine ambiguïté sur la nature d'Apophis car on ne sait toujours pas si un ou deux rois ont porté ce nom.

- Éphraïm n'ayant plus d'héritier, il doit engendrer un fils à un âge avancé. Celui-ci sera de toute façon encore trop jeune pour exercer le pouvoir à la mort d'Éphraïm.

- Si Éphraïm n'a plus de descendant en âge de régner, Shemida apparaît comme un choix valable. Shemida, arrière-arrière-petit-fils de Joseph, pourrait être Khamoudi.

Récapitulatif des durées de règne de la XVᵉ dynastie

Selon le Canon de Turin	
???	??
???	??
???	??
???	??
???	??
Khamoudi	??
Six règnes	108(?) ans

Selon Manéthon (Flavius)	
Saïtes (Salatis)	19 ans
Bnon (Sheshi)	44 ans
Apacnan (Yakub-her)	37 ans
Iannas (Khyan-seth)	50 ans
Apofis (Apepi I&II)	61 ans
Assis (Khamoudi)	49 ans
Total	260 ans

Durées proposées	
Salatis (Isaac)	3 ans
Šheshi (Esaü)	10 ans
Yakub-her (Jacob)	10 ans
Khyan-seth (Joseph)	25 ans
Apepi–rê (Éphraïm)	51 ans
Âa-ouser-rê (Ézer)	corégence
Khamoudi (Shemida)	12 ans
Six (ou sept) règnes (*)	111 ans (*)

Données historiques	
Salitis (Se-kha-en-Rê)	??
Sheshi (Maâ-ib-Rê)	??
Yakub-her (Mery-ouser-Rê)	??
Khyan (Souser-en-Rê)	??
Apophis I (Âa-qen-en-Rê)	+33 ans
Apophis II (Âa-ouser-Rê)	
Khamoudi	+11 ans
Six (ou sept) règnes	−150 max

*) Les six derniers règnes (en enlevant Salatis) totalisent 108 ans.

39: Les Rois Pasteurs

– 11 –

Les douze tribus d'Israël

L a théorie mise de l'avant dans le présent ouvrage trouve peut-
être une confirmation supplémentaire dans une autre énigme
de la Bible.

Mythe ou réalité ?

D'après la tradition biblique, le territoire d'Israël est divisé
et structuré selon douze tribus, chacune attribuée à chacun des
fils de Jacob. Mais beaucoup d'exégètes remettent en question
l'origine véritablement historique de cette tradition. En parlant
des Douze tribus, l'Encyclopédie Universalis explique :

> *Quant à la forme généalogique que cette confédération a dans la
> Bible, elle relève de la fonction légitimatrice de toute généalogie
> biblique, qui justifie les liens présents par la description a
> posteriori d'une origine presque toujours hypothétique pour ne
> pas dire fictive, voire mythique.*[167]

Ce *modus operandi* n'est pas nouveau : chaque fois qu'une
contradiction se présente dans les textes, les autorités ont tôt fait
de s'en remettre au dogme, ou de blâmer une manipulation des

---

167 «tribus d'Israël», *Encyclopédie Universalis, 2008*

textes, pour l'expliquer. Pour appuyer sa position, l'Encyclopédie soulève quelques incohérences :

> *Les différentes listes des tribus israélites que l'on rencontre dans la Bible ne concordent pas. Le célèbre cantique de Débora (Jug., V), dont on sait l'ancienneté, n'énumère que dix tribus ; quant aux bénédictions de Jacob (Gen., XLIX) et aux bénédictions de Moïse (Deut., XXXIII), toutes deux font état de douze tribus, mais ne les constituent pas de la même façon.*[168]

Seul, le Livre des Juges n'énumère pas toutes les tribus. Mais ces textes « post-pentateuque » ont été rédigés à une époque ultérieure.

Ces notes discordantes relatives aux fils de Jacob et aux tribus d'Israël soulèvent naturellement des doutes quant à la fiabilité des textes. Mais selon la thèse développée dans le présent ouvrage, on s'attendrait à ce que le mythe trouve sa source dans une certaine réalité. Il convient donc d'éclaircir la nature de ces textes en s'en remettant, une fois de plus, à la Bible elle-même.

Avant de mourir, le vieil homme bénit ses fils :

> *Gn 49:1 Et Jacob appela ses fils, et dit : Assemblez-vous, et je vous ferai savoir ce qui vous arrivera à la fin des jours.*

> *Gn 49:2 Réunissez-vous, et écoutez, fils de Jacob ; écoutez Israël, votre père.*

> *Gn 49:3 **Ruben**, tu es mon premier-né, ma force, et le commencement de ma vigueur, prééminent en dignité, et prééminent en force !*

> *Gn 49:4 Bouillonnant comme les eaux, tu n'excelleras pas, car tu es monté sur la couche de ton père ; tu l'as alors profanée... Il est monté sur mon lit !*

> *Gn 49:5 **Siméon** et **Lévi** sont frères. Leurs glaives ont été des instruments de violence.*

---

168   Ibid.

Gn 49:6 Mon âme, n'entre pas dans leur conseil secret; ma gloire, ne t'unis pas à leur assemblée! Car dans leur colère ils ont tué des hommes, et pour leur plaisir ils ont coupé les jarrets du taureau.

Gn 49:7 Maudite soit leur colère, car elle a été violente; et leur furie, car elle a été cruelle! Je les diviserai en Jacob, et les disperserai en Israël.

*Gn 49:8 Toi, **Juda**, tes frères te loueront; ta main sera sur la nuque de tes ennemis; les fils de ton père se prosterneront devant toi.*

Gn 49:9 Juda est un jeune lion. Tu es monté d'auprès de la proie, mon fils. Il se courbe, il se couche comme un lion, et comme une lionne; qui le fera lever?

Gn 49:10 Le sceptre ne se retirera point de Juda, ni un législateur d'entre ses pieds, jusqu'à ce que Shilo vienne; et à lui sera l'obéissance des peuples.

Gn 49:11 Il attache à la vigne son ânon, et au cep excellent le petit de son ânesse; il lave dans le vin son vêtement, et dans le sang des raisins son manteau.

Gn 49:12 Ses yeux sont rouges de vin, et ses dents blanches de lait.

*Gn 49:13 **Zabulon** logera sur la côte des mers, et sera sur la côte des navires; et son côté sera près de Sidon.*

*Gn 49:14 **Issacar** est un âne ossu, couché entre deux parcs.*

Gn 49:15 Il voit que le repos est bon, et que le pays est agréable, et il incline son épaule pour porter, et s'assujettit au tribut du serviteur.

*Gn 49:16 **Dan** jugera son peuple, comme une autre des tribus d'Israël.*

Gn 49:17 Dan sera un serpent sur le chemin, une vipère sur le sentier, qui mord les talons du cheval, et celui qui monte tombe à la renverse.

Gn 49:18 J'ai attendu ton salut, ô Baal!

Gn 49:19 **Gad,** *une troupe lui tombera dessus; et lui, il leur tombera sur les talons.*

*Gn 49:20 D'***Aser** *viendra le pain excellent; et lui, il fournira les délices royales.*

Gn 49:21 **Nephthali** *est une biche lâchée; il profère de belles paroles.*

Gn 49:22 **Joseph** *est une branche qui porte du fruit, une branche qui porte du fruit près d'une fontaine; ses rameaux poussent par-dessus la muraille.*

Gn 49:23 Les archers l'ont provoqué amèrement, et ont tiré contre lui, et l'ont haï;

Gn 49:24 Mais son arc est demeuré ferme, et les bras de ses mains sont souples par les mains du Puissant de Jacob.

Gn 49:25 De là est le berger, la pierre d'Israël: du Élohim de ton père, et il t'aidera; et du Tout-Puissant, et il te bénira des bénédictions des cieux en haut, des bénédictions de l'abîme qui est en bas, des bénédictions des mamelles et de la matrice.

Gn 49:26 **Les bénédictions de ton père surpassent les bénédictions de mes ancêtres** *jusqu'au bout des collines éternelles; elles seront sur la tête de Joseph, et sur le sommet de la tête de* **celui qui a été mis à part de ses frères.**

Gn 49:27 **Benjamin** *est un loup qui déchire: le matin, il dévore la proie, et le soir, il partage le butin.*

Gn 49:28 **Tous ceux-là sont les douze tribus d'Israël,** *et c'est là ce que leur père leur dit en les bénissant: il les bénit,* **chacun selon sa bénédiction.**

Gn 49:29 Et il leur commanda, et leur dit: Je suis recueilli vers mon peuple; enterrez-moi auprès de mes pères, dans la caverne qui est dans le champ d'Éphron, le Héthien,

Jacob indique très clairement ici quelles sont les douze tribus : il s'agit de ses fils.

Loin d'être aléatoires, nous croyons que les références aux « tribus » suivent certaines règles. En explorant les textes du Pentateuque, le lecteur attentif découvrira que la convention suivante est respectée :

- *Lorsqu'il est question des «fils» d'Israël, Joseph est mentionné au même titre que Lévi et que les autres frères (Ex 1, Deut 33).*

- *Lorsqu'il est question du «territoire» d'Israël, Lévi et Joseph n'en possèdent aucune part contrairement à deux fils de Joseph, Manassé et Ehpraïm (Nbr 1, Nbr 2, Nbr 34, Deut 34, Jos 14).*

- *Lorsqu'il est question des «tribus» d'Israël, Lévi est mentionné mais pas Joseph[169]. Par contre, ses fils Manassé et Ehpraïm le sont (Voir Nbr 7, Nbr 13, Nbr 26).*

La convention est donc respectée, surtout dans les livres du Pentateuque datant de l'époque de Moïse (Exode, Nombres, Lévitique, Deutéronome). Plus on s'éloigne de cette période, plus la confusion s'installe.

Nous croyons que ces règles découlent d'une évolution historique.

À la suite de l'Exode et de la reconquête de Canaan, la Bible nous apprend que Josué – qui succède à Moïse – attribue la terre d'Israël aux différentes tribus. Une description relativement précise de chaque territoire est donnée en Josué 13. Mais aucune des terres attribuées à ce moment ne porte les noms de Lévi ou de Joseph. Par contre, les noms d'Ephraïm et de Manassé apparaissent même si ces derniers ne sont pas identifiés par Jacob comme faisant partie des « tribus » d'Israël.

169   Les tribus de Manassé et Éphraïm sont exceptionnellement désignées par « les tribus de Joseph ». Voir Josué 14:4 et Deut 27:12

En résumé

- Chacun des fils de Jacob, y compris Joseph et Lévi, reçoit « sa bénédiction », soit une portion de territoire lui permettant d'établir sa tribu.

- Jacob a certainement partitionné les terres qu'il lègue à ses fils. Josué reprend-il ces mêmes territoires trois siècles plus tard ?

- Joseph a été « mis à part » de ses frères.

- L'héritage de Joseph « surpasse » celui que Jacob a reçu de ses ancêtres (Isaac et Abraham).

- Pourquoi les tribus d'Éphraïm et de Manassé sont-elles identifiées, et non celle de Joseph ?

Les tribus d'Éphraïm et de Manassé

Les exégètes expliquent généralement l'origine des tribus d'Éphraïm et de Manassé par le verset suivant :

> *Gn 48:5 Et maintenant, tes deux fils qui te sont nés dans le pays d'Égypte, avant que je vinsse vers toi en Égypte, sont à moi : **Éphraïm et Manassé sont à moi comme Ruben et Siméon.***

Le raisonnement semble valable : si Jacob reconnaît les fils de Joseph comme les « siens », n'est-il pas normal qu'ils soient désignés comme « tribus » à part entière ?

Mais si Jacob fait cette déclaration, n'est-ce pas plutôt dans le but de s'adjuger le droit de désigner Éphraïm comme successeur de Joseph, à l'encontre du désir de ce dernier ? C'est en tout cas dans ce contexte que le récit se poursuit. Si Jacob avait voulu désigner Éphraïm et Manassé comme « tribus » à part entière, il aurait été clair à ce sujet dans la bénédiction où il associe une tribu à chacun de ses douze fils (Gn 49:28).

Les textes de l'Exode apportent un éclairage sur la période qui précède le décès de Jacob :

*Ex 1:1 Voici les noms des fils d'Israël, **venus en Égypte** avec Jacob et la famille de chacun d'eux:*

Ex 1:2 Ruben, Siméon, Lévi, Juda,

Ex 1:3 Issacar, Zabulon, Benjamin,

Ex 1:4 Dan, Nephthali, Gad et Aser.

Ex 1:5 Les personnes issues de Jacob étaient au nombre de soixante-dix en tout. Joseph était alors en Égypte.

La liste des fils d'Israël que l'on retrouve ici est intégrale. Ce passage confirme que les onze frères de Joseph sont « *venus en Égypte* » pour éviter la famine. On peut donc en conclure qu'ils étaient déjà installés en Canaan. À la mort de Jacob, sans doute héritent-ils du territoire et des villes qu'ils gouvernent déjà.

Par ailleurs, il est raisonnable de croire que le territoire que Jacob a reçu en héritage (et qui deviendra le « *territoire d'Israël* ») est une partie importante de la fameuse « terre promise » qu'Abraham obtient en faisant alliance avec Hammourabi. En s'adressant à Jacob, Baal dit :

Gn 35:12 Et le pays que j'ai donné à Abraham et à Isaac, je te le donnerai, et je donnerai le pays à ta semence après toi.

En parlant de la terre promise qu'il faut partager entre les différentes tribus, Moïse fait référence à l'Alliance :

Deut 34 : 4 Et Yahvé lui dit : C'est ici le pays au sujet duquel j'ai juré à Abraham, à Isaac, et à Jacob, disant: Je le donnerai à ta semence. Je te l'ai fait voir de tes yeux, mais tu n'y passeras pas.

On s'attendrait donc à ce que tous les fils de Jacob héritent d'une part de ce legs, y compris Joseph.

Mais si Jacob est véritablement Yakub-her, le roi hyksôs qui dirige l'Égypte, il serait normal que ce fils préféré hérite de la part du lion et lui succède sur le trône. Il ne faut donc pas se surprendre de voir Joseph prendre en mains les destinées du pays d'Égypte, confirmant par le fait même qu'il est bien Khyan.

Mais voilà, un événement survient qui change le cours des choses :

Ex 1:8 Il s'éleva sur l'Égypte un nouveau roi, qui n'avait point connu Joseph.

Ex 1:9 Il dit à son peuple: Voilà les enfants d'Israël qui forment un peuple plus nombreux et plus puissant que nous.

Ex 1:10 Allons! Montrons-nous habiles à son égard; empêchons qu'il ne s'accroisse, et que, s'il survient une guerre, il ne se joigne à nos ennemis, pour nous combattre et sortir ensuite du pays.

Il semble que ce « *nouveau roi, qui n'avait point connu Joseph* » pourrait bien être Séqénenrê Taâ II, ce roi thébain qui enclenche le mouvement d'expulsion des Hyksôs. Séqénenrê Taâ II est contemporain d'Apophis – Éphraïm, mais pas de son père Joseph mort presque une génération plus tôt – autre élément de preuve qui corrobore notre thèse.

Comme les fils de Joseph sont nés en Égypte, il est probable qu'ils y ont grandi. La famille de Manassé aurait alors vécu dans l'ombre de celle d'Éphraïm, formant deux tribus distinctes, mais unies.

Lorsque Shemida – Khamoudi perd le contrôle d'Avaris, on sait qu'il s'enfuit à Sharuhen dans le sud de la Judée avec les siens. Après un siège de trois ans, on perd toutes traces de ces Hyksôs. Cette rebuffade est un dur revers qui affecte tous les membres du clan d'Israël. Aussi chercheront-ils à consolider les liens qui les unissent. C'est ainsi que la « troupe en déroute » trouve un refuge et un accueil favorable chez les oncles et les cousins du côté paternel qui s'attendaient plutôt à voir en Khamoudi le nouveau maître d'Égypte.

En s'intégrant au clan une génération plus tard, les noms de Manassé et d'Éphraïm seront associés aux notions de «terres» et de «tribus» d'Israël et non celui de leur père Joseph.

Mais avec l'arrivée d'Éphraïm et de Manassé, le territoire qui avait été réparti entre les onze frères doit désormais être partagé en treize parts. Et si Jacob avait pris grand soin de délimiter ces terres, on imagine aisément qu'aucune des tribus n'est enthousiaste à l'idée de devoir en céder une partie.

En résumé

- Si Joseph est Khyan, il hérite de l'Égypte au décès de Yakub-her – Jacob.
- Éphraïm ayant été désigné pour succéder à Joseph, sa tribu devient distincte de celle de Manassé.
- Ces deux tribus prospèrent en Égypte.
- Lorsque les Hyksôs sont expulsés, les tribus d'Éphraïm et de Manassé se réfugient sur la terre ancestrale, déjà partitionnée.

La prêtrise aux Lévites

Quelque trois siècles plus tard, à la suite de l'Exode, on apprend que les membres de la tribu de Lévi ne possèdent plus aucun «héritage». En contrepartie, ils perçoivent le dixième de toutes les récoltes des fils d'Israël :

*Nbr 18:24 car **j'ai donné pour héritage aux Lévites les dîmes des fils d'Israël,** qu'ils offrent à l'Éternel en offrande élevée; c'est pourquoi j'ai dit d'eux qu'ils ne posséderont pas d'héritage au milieu des fils d'Israël.* [170]

---

170   À l'origine «Disme», du latin *decima* ou «dixième» de la récolte à verser au seigneur. Le *«dime»* américain représente le dixième d'un dollar.

Pourquoi la tribu de Lévi jouit-elle de ce statut particulier? Leur aurait-il été conféré par Jacob? Il semble que ce dernier n'ait eu aucune intention particulière à cet égard. La Bible laisse plutôt entendre que Lévi n'était pas dans les bonnes grâces de son père :

> *Gn 34:25 Et il arriva, au troisième jour, comme ils étaient dans les souffrances, que deux fils de Jacob, Siméon et Lévi, frères de Dina, prirent chacun son épée, et vinrent hardiment contre la ville, et tuèrent tous les mâles.*

> *Gn 34:26 Et ils passèrent au fil de l'épée Hamor et Sichem, son fils, et emmenèrent Dina de la maison de Sichem, et s'en allèrent.*

> *Gn 34:27 Les fils de Jacob **se jetèrent sur les tués et pillèrent la ville**, parce qu'on avait déshonoré leur sœur ;*

> *Gn 34:28 ils prirent leur menu bétail, et leur gros bétail, et leurs ânes, et ce qu'il y avait dans la ville et ce qu'il y avait aux champs,*

> *Gn 34:29 et ils emmenèrent et pillèrent tous leurs biens, et tous leurs petits enfants, et leurs femmes, et tout ce qui était dans les maisons.*

> *Gn 34:30 Et Jacob dit à Siméon et à Lévi: **Vous m'avez troublé, en me mettant en mauvaise odeur auprès des habitants du pays,** les Cananéens et les Phéréziens, et moi je n'ai qu'un petit nombre d'hommes ; et ils s'assembleront contre moi, et me frapperont, **et je serai détruit, moi et ma maison.***

Ayant fait rejaillir l'odieux de ce geste barbare sur toute la famille, Siméon et Lévi auraient-ils été reniés et déshérités par leur père? Cela permettrait d'expliquer pourquoi Lévi se retrouve sans terre. Mais si tel avait été le cas, Siméon aurait dû subir le même sort. Or, il reçoit sa part. Comme rien ne laisse croire que Lévi ne reçoit pas la sienne, on peut conclure qu'il héritera comme les autres à la mort du père.

Les Lévites cèdent-ils leur part aux tribus d'Éphraïm et de Manassé en contrepartie d'une dîme? Bien entendu, dans le domaine de la spéculation, tout est possible. Mais cette supposition est intéressante, car elle permettrait à toutes les autres tribus de conserver leur terre, si celles-ci avaient été délimitées du temps de Jacob.

De plus, en institutionnalisant cette forme de dépendance, les tribus d'Israël établissent probablement entre elles les bases des liens qui vont souder le peuple hébreu pour les générations à venir.

En résumé

- À la mort de Jacob, Lévi reçoit certainement sa part.

- Trois siècles plus tard, les Lévites ne possèdent plus aucune terre.

- Toutes les autres tribus versent aux Lévites un dixième des récoltes.

- Les Lévites auraient-ils cédé leurs terres aux tribus d'Éphraïm et de Manassé?

CONCLUSION

L'ÉNIGME RÉSOLUE

Sur une fausse piste
Des réponses sensées
Un patrimoine inestimable

– 12 –

L'énigme résolue

C omme bien d'autres l'ont souligné avant nous, l'histoire de la Mésopotamie révèle des ressemblances frappantes avec celle de la Bible. Le texte sumérien de l'Enûma Eliš relate une création du monde qui annonce le jardin d'Éden et la tour de Babel. L'Épopée de Gilgamesh offre des versions du déluge avec des ressemblances jusque dans les détails, comme le nombre de jours que l'arche a passés sur les flots. La naissance de Moïse est presque identique à celle de Sargon d'Akkad né mille ans plus tôt. Enfin, le Code de lois de Hammourabi s'apparente étrangement aux Dix commandements. Et bien qu'aucun de ces textes ne se retrouve intégralement dans la Bible, il est indéniable que ces sources ont inspiré les rédacteurs du Livre.

Sur une fausse piste

Mais la recherche du Seigneur Dieu n'est-elle pas une quête intérieure? En acceptant le dogme, les spécialistes ont naturellement accordé une interprétation théologique au récit des Patriarches. Faut-il alors s'étonner que toutes les recherches entreprises dans le but de confirmer l'historicité de ces derniers aient été vouées à un échec? En orientant nos recherches sur l'identité du seigneur d'Abraham plutôt que sur Abraham lui-même, nous avons proposé dans cet ouvrage une solution holistique, logique, rationnelle et vérifiable qui explique l'ensemble de l'œuvre de la Genèse. Nous n'avons voulu ignorer aucun élément biblique ou historique qui ne militait pas en faveur de notre thèse. Ainsi, de nouvelles possibilités s'offrent pour la compréhension de la suite des événements.

Dès que l'on accepte la dimension humaine de ce « seigneur », les réponses abondent, que l'on interroge les Écrits ou l'histoire. C'est ainsi que l'étude des profils culturels d'Abraham et de Hammourabi autorise à conclure que tous deux appartenaient au peuple amorrite. La culture de ce peuple mi-nomade, mi-sédentaire correspond bien à celle des Patriarches. L'histoire nous apprend que les Amorrites ont pris le pouvoir à Ur sous le règne du roi Ibi-Sin et qu'à partir de ce moment, ils ont progressivement étendu leur domination sur l'ensemble de la Mésopotamie, du Levant et de l'Égypte. La résolution de la datation en base 60 par le facteur multiplicatif 6/10 autorise à conclure que Sem, l'ancêtre d'Abraham, aurait émigré de Canaan peu de temps après l'apparition des premières ziggourats, précisément au moment où les Amorrites arrivent à Ur. La Bible nous apprend également que le périple d'Abraham débute à Ur.

Grâce à ses conquêtes et à ses alliances, Hammourabi raffermit son pouvoir. Sa correspondance diplomatique laisse entendre qu'il aurait pu participer à la guerre des Rois en compagnie de ses alliés, dont Eriaku qui a régné avant 1763. Toujours selon la Bible, Abraham aurait eu 45 ans lors de son entrée en Canaan et 52 ans à la naissance d'Ismaël. Comme plusieurs éléments confirment qu'Abraham est bel et bien né la même année que Hammourabi en 1810, on peut situer la guerre des Rois entre 1765 et 1764. Ces dates s'harmonisent d'ailleurs parfaitement avec les données relatives au règne de Hammourabi car elles auraient permis à ce dernier d'entreprendre une campagne militaire avec les rois d'Élam et de Larsa avant de les défaire. Par ces victoires, Hammourabi étend rapidement son empire. Il sentira la nécessité de renforcer son autorité sur la région après avoir ouï dire que la grogne courait toujours à Sodome. Constatant avec quelle détermination Abraham est parti libérer son neveu Lot, il choisit de conclure une alliance avec lui. Il lui promet la terre de Canaan en échange de sa loyauté absolue et de celle de ses descendants. Fort de cette nouvelle entente, Hammourabi va pouvoir asseoir son autorité par une démonstration de force : il inflige un châtiment exemplaire à la cité rebelle de Sodome.

Mais la descendance d'Abraham pose problème : comment laisser un tel héritage au fils d'une esclave égyptienne ? Qu'à cela ne tienne : Hammourabi s'imposera géniteur et donnera un fils à Sarah. Selon notre nouvelle chronologie, Isaac serait né en 1750, soit l'année du décès de Hammourabi. Il est clair qu'Abraham et ses descendants seront appelés à prêter allégeance à Samsu-iluna, fils de Hammourabi.

En exigeant le sacrifice d'Ismaël, ce premier fils qui menace l'héritage dynastique, Samsu-iluna met à rude épreuve la loyauté d'Abraham. Mais celui-ci se montre à la hauteur. Dans le différend qui oppose juifs et musulmans sur l'identité du fils demandé en sacrifice, nous donnons donc raison à ces derniers car il s'agit bien d'Ismaël et non d'Isaac.

La datation de l'éruption du mont Théra en 1649 confirme cette thèse en montrant que l'histoire de la famine en Égypte sous Joseph correspond parfaitement au songe qu'il interprète à 18 ans et à ce qu'ont dû vivre les populations à la suite de cette éruption volcanique majeure. Cette catastrophe permet aux Hyksôs de prendre le contrôle «sans difficulté ni combat» sur l'ensemble de l'Égypte. La Bible nous apprend que Joseph fut un homme très influent en Égypte au cours de la période qui suit et qu'il sut négocier habilement les terres d'Égypte contre de la nourriture. La précision de la datation continue de s'articuler autour de son père Jacob et du roi hyksôs Yakub-her qui aurait régné sur l'Égypte de 1634 à 1626. Et bien qu'elle ne donne guère d'indications sur son âge lors de la naissance du douzième fils Joseph, il est logique de croire, dans le cadre de notre nouvelle datation, qu'il pouvait avoir 47 ans. Joseph aurait donc pu lui succéder et régner de 1625 à 1601. Selon nous, Khyan et Joseph ne sont qu'une seule et même personne : en effet, le parallèle est frappant entre Khyan-Seth (Ya-sef) et Joseph, des noms à consonance semblable.

De plus, ni Manassé, fils de Joseph, ni Yanassi, fils de Khyan-Seth, n'ont pris le pouvoir à la mort de leur père. Jacob a dicté son choix : c'est Éphraïm, et non Manassé qui héritera. L'histoire de la Genèse s'interrompt abruptement au décès de Joseph, alors qu'Apophis prend le pouvoir. Toutefois, le nom de ses enfants et la chronologie des événements nous permettent de croire qu'Apophis est Éphraïm. La première partie de son règne est paisible. Mais ses fils, dont Ézer, perdront la vie lors d'attaques menées par des Thébains. C'est donc à Shemida, arrière-petit-fils de Manassé, que reviendra le pouvoir à la mort d'Éphraïm. Shemida serait donc Khamoudi. Et c'est quelques années plus tard, poursuivi par le roi thébain Ahmose, que Khamoudi se réfugie à Sharuhen, en Canaan.

Cette sortie d'Égypte des tribus de Manassé et d'Éphraïm explique pourquoi on retrouve leurs tribus parmi celles d'Israël, plutôt que celle de Joseph, fils de Jacob. Terreau fertile pour le développement d'un dogme unificateur, la remise aux Lévites d'un dixième des récoltes en échange de leurs terres contribuera en effet à souder les douze tribus d'Israël pour les générations à venir. Le livre de la Genèse se referme sur la fin de l'empire babylonien.

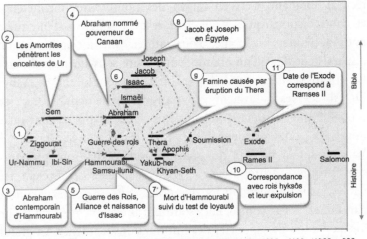

40: Dilemme de la datation résolu

Si l'on part de notre prémisse qu'Abraham n'était qu'un gouverneur au service de Hammourabi et qu'il n'entretenait nullement de relation avec le divin, notre datation 6/10 permet d'arrimer à des pans entiers de l'histoire antique, avec une étonnante précision, plus d'une trentaine de dates bibliques qui s'échelonnent sur une bonne douzaine de générations. Pour la première fois, le récit biblique relatif aux Patriarches rejoint l'histoire dans une explication vraisemblable. En complétant par le raisonnement les éléments d'information épars et en les faisant coïncider avec les données historiques disponibles aujourd'hui, nous avons tissé la trame d'un récit biblico-historique plausible.

Et même si des recherches futures venaient remettre en question ces chronologies qui permettent aujourd'hui de réunir dans une logique historique implacable les Patriarches, Hammourabi et les rois hyksôs, la thèse de départ n'en demeure pas moins solide et mérite d'être approfondie, car il y a bel et bien eu quiproquo sur la nature divine de ce «Seigneur». Si les exégètes attribuent à la tradition orale les textes se rapportant au récit d'Abraham, c'est en raison des nombreuses incohérences et contradictions qu'ils y décèlent et qu'il convient d'interpréter pour accréditer le dogme. Pourtant, ces mêmes contradictions disparaissent dès qu'on aborde leur lecture sous un nouvel angle. La confusion s'estompe dès qu'on dissocie Élohim de Yahvé. Or, si ces textes avaient été transmis oralement, il est fort probable que les détails les plus fins – qui n'apparaissent qu'en filigrane – nous auraient échappé. À cet égard, les travaux de Vansina sur la fiabilité des transmissions orales sont probants : cet historien anthropologue est d'avis qu'elles se révèlent très fiables, mais uniquement lorsque prises dans un contexte culturel particulier.[171] Par contre, elles souffrent inévitablement de limites lorsqu'il s'agit de rapporter des informations factuelles. La grande précision avec laquelle certains détails permettent de rendre le sens caché de cette nouvelle interprétation de l'histoire des Patriarches ne peut être le fruit du hasard. Elle témoigne plutôt de l'exactitude de sources très bien conservées. Mais il convient de rappeler que cette observation ne s'applique qu'aux textes de la Genèse relatifs au récit des Patriarches (Chapitres 12 à 50) et non systématiquement à tous les livres de la Bible.

Dans leur œuvre de synthèse et de construction visant à légitimer la nouvelle religion de «Yahvé», les prêtres qui ont compilé les premiers écrits de la Bible vers le VIᵉ siècle AEC auront eu accès à des textes antérieurs racontant l'histoire de leurs ancêtres, comme en témoignent les nombreux parallèles avec les textes anciens dont ils se sont largement inspirés. L'un de ces textes raconte l'histoire d'un ancêtre, Abraham, et de l'Alliance qu'il conclut avec «Baal». Malheureusement, comme le sens de ce terme est ambigu, ils auront confondu la notion de «dieu Baal» qu'ils retrouvaient dans d'autres textes religieux sans doute

---

171 Jan Vansina, H. M. Wright, Selma Leydesdorff, Elizabeth Tonkin, *Oral Tradition: A Study in Historical Methodology*, Transaction Publishers, 2006, p. 172

plus récents avec la notion de « maître Baal », titre honorifique qui s'appliquait également jadis aux hommes puissants.

Ils ont donc intégré le récit d'Abraham au même titre que les autres textes sacrés, mais sans s'apercevoir que « Baal » ne faisait pas référence à la figure divine traditionnelle. Cette confusion était-elle intentionnelle ? Aurait-elle été introduite par des prêtres zélés un peu trop soucieux de légitimer la nouvelle religion ? L'histoire était effectivement trop belle : le peuple hébreu d'origine amorrite – les descendants d'Abraham – détenait maintenant la « preuve » que « Dieu » l'avait choisi parmi les autres peuples de la terre en établissant une alliance avec lui. Une fois établies et accréditées par une telle « révélation », les bases du dogme pouvaient s'imposer aux fidèles et le droit à la « terre d'Israël » s'en trouver légitimé.

Ainsi, au grand dam de ses défenseurs, la Bible n'apparaît plus comme l'œuvre de Dieu, mais plutôt comme une compilation de textes divers racontant l'histoire du peuple hébreu à laquelle certains ont voulu donner une dimension initiatique.

Des réponses sensées

Dès lors, la biographie d'Abraham prend un véritable sens historique et cette relecture apporte enfin des réponses aux questions de lecteurs perplexes.

Voici donc, à la suite de ces observations, des réponses aux questions posées en introduction :

- Pourquoi Dieu a-t-il plusieurs noms dans la Bible ?

  Dans le récit d'Abraham, Yahvé représente Baal, ou Hammourabi et ses descendants, alors qu'Élohim désigne le dieu païen El. Les prêtres, scribes et copistes qui se sont succédé auront invariablement utilisé l'un ou l'autre de ces termes « reconnus ».

- Pourquoi Abraham était-il marié à sa demi-sœur ? Et pourquoi les filles de Lot ont-elles eu une relation incestueuse avec leur père ?

L'endogamie était déjà pratique courante dans les royautés car elle permettait de conserver une lignée noble et de limiter les revendications au trône ou à l'héritage.

- Pourquoi Dieu aurait-il décimé les habitants de Sodome plutôt que de chercher à les sauver ?

L'intervention musclée d'Abraham lors de la guerre des Rois laisse la rebelle Sodome impunie. Abraham n'offre donc guère d'autre choix à Hammourabi que de mener une seconde attaque sur la ville afin de l'écraser pour donner l'exemple.

- Pourquoi Dieu aurait-il donné en exclusivité au peuple juif la « Terre promise » ?

L'alliance que Hammourabi conclut avec Abraham lui assure le contrôle exclusif sur la terre de Canaan, à lui et à ses descendants. Cette entente doit donc se limiter au clan rapproché d'Abraham.

- Pourquoi Ismaël, alors encore tout jeune enfant, n'a-t-il pu, aux yeux de Dieu, être digne d'hériter de l'Alliance ?

Il était inconcevable pour le fils d'une esclave égyptienne de prétendre au titre d'héritier d'une telle alliance qui aurait ouvert la voie à de possibles revendications égyptiennes sur le trône. En étant le géniteur de l'héritier, Hammourabi s'assure d'un meilleur ascendant sur la région et accorde l'exclusivité du pouvoir à la lignée amorrite.

- Pourquoi Dieu aurait-il exigé d'Abraham qu'il sacrifie son propre fils pour témoigner de sa loyauté ?

Samsu-iluna, le successeur de Hammourabi, trouve prudent de s'assurer de la loyauté d'Abraham en lui demandant de sacrifier ce fils d'origine égyptienne qui menace la dynastie amorrite. Mais il ne s'agit que d'un stratagème pour mettre sa loyauté à l'épreuve.

- Pourquoi Lot offre-t-il ses deux filles vierges en pâture aux habitants de Sodome en colère? Et pourquoi ceux-ci les refusent-ils?

  Pour apaiser les rebelles, sauver sa peau et celle des messagers-représentants envoyés par Hammourabi. Mais ces hommes n'ont que faire des filles de Lot car ce qu'ils revendiquent, c'est le droit à l'honneur, à la liberté et à l'indépendance. Ils cherchent plutôt à humilier ces représentants du pouvoir central pour se venger de l'asservissement qu'ils leur ont eux-mêmes imposé en tant que dominateurs.

- Pourquoi Abraham pratique-t-il l'art divinatoire païen en sacrifiant des animaux?

  La pratique de l'art divinatoire de la lecture des entrailles et des sacrifices aux dieux est en parfaite harmonie avec les cultes de l'époque.

- Pourquoi Rachel, femme de Jacob se serait-elle enfuie avec les idoles païennes de son père?

  Parce qu'elles avaient une grande valeur religieuse (et peut-être même monétaire) pour ce peuple païen d'origine nomade.

- Pourquoi les douze tribus d'Israël ne portent-elles pas toutes les noms des douze fils de Jacob?

  Lorsqu'il est question des «fils d'Israël», les douze fils sont généralement mentionnés.

  Lorsqu'il est question de la «terre d'Israël», il ne reste que onze lots de l'héritage paternel, Apophis ayant usurpé le trône destiné à Manassé. Si Lévi cède à Manassé et à Éphraïm ce qu'il possède pour devenir rentier, alors son nom n'apparaît nulle part.

*Lorsqu'il est question des «tribus d'Israël», la liste inclut
Lévi, ainsi que les fils Manassé et Ehpraïm.*[172]

Ces nombreuses questions trouvent enfin des réponses
logiques et implacables. Plus qu'une simple coïncidence, la longue
chaîne des événements qui constitue le récit des Patriarches
s'intègre avec une précision étonnante à l'histoire de la région. Les
dates, le contexte, la culture de ces peuples, leurs lois, la pratique
du pouvoir, les preuves archéologiques, tout concourt à donner
au récit une interprétation rationnelle. Le bon sens prévaut
enfin et le mythe rejoint l'histoire.

En ouvrant la voie à cette nouvelle interprétation, nous
croyons que les recherches sur l'historicité des Patriarches vont
pouvoir prendre un nouvel essor. Mais plutôt que de s'efforcer à
traquer les vestiges de simples bergers parcourant le désert, ou les
traces de leur pensée fondatrice, il conviendrait de jeter un regard
neuf sur les textes, les statues, les effigies, les ruines et les fresques
du Bronze moyen à la recherche de nouveaux indices pouvant
témoigner en ce sens.

Loin d'être le récit d'une histoire, voire même de la légende
glorifiée d'un homme qui a cherché à révolutionner la culture
de son époque, le réveil auquel on assiste est brutal : la thèse
présentée dans cet ouvrage nous oblige à constater qu'Abraham
n'était pas un homme particulièrement pieux et qu'il n'a donc
jamais cherché à conclure une alliance avec un nouveau dieu.
Par surcroît, l'homme que l'on considère comme le père de nos
religions révèle des traits de caractère bien humains, dont la
cupidité.

---

172   Les tribus de Manassé et Éphraïm sont exceptionnellement désignées par
      «les tribus de Joseph»

Un patrimoine inestimable

À l'évidence, tous ceux qui continuent de prétendre que les écrits de la Bible, de la Torah et du Coran sont d'inspiration divine seront invités à réfléchir sur la véritable nature du seigneur d'Abraham et sur l'impact d'un tel quiproquo. Et si pour certains, le rapport à ces livres ne semble plus correspondre aux mœurs modernes en raison des nombreux paradoxes qu'on y relève, on aurait tort de nier pour autant l'importance de la place qu'occupent les Patriarches dans la Bible ainsi que dans nos sociétés modernes, quelque 3 500 ans plus tard. En effet, tous les prophètes qui se sont succédé, de Moïse à Mahomet, reconnaissent en Abraham le père de leur religion et de leur civilisation. Et ils s'appuient largement sur ses «enseignements» pour défendre la thèse de l'inspiration divine. C'est ainsi que les références aux Patriarches sont omniprésentes: on en dénombre plus de 250 dans l'Ancien Testament (Genèse exclue), 162 dans le Coran, 81 dans le Nouveau Testament et 219 dans le Livre de Mormon.

Sans forcément leur nier toute valeur culturelle et spirituelle, il faut néanmoins reconnaître que l'objectivité, la crédibilité et surtout l'immuabilité des messages de tous ces prophètes se trouvent sérieusement remises en question. Car le développement de leur pensée et de leurs principes se fonde sur le fait qu'Abraham est véritablement devenu le père d'une nouvelle religion lorsqu'il a conclu l'Alliance avec Dieu. Cet argument réfuté, sur quoi repose leur logique? À notre avis, le véritable scandale n'est pas de mettre en doute l'inspiration divine, mais plutôt de perpétuer l'illusion par la complaisance. Comme disait Galilée: «De toutes les haines, il n'en est de plus grande que celle de l'ignorance contre le savoir».

Parce qu'ils prétendent détenir une morale d'origine divine, une poignée de fondamentalistes cherchent à imposer au reste du monde une vision aujourd'hui archaïque. Le libre penseur dispose de bien peu de ressources pour faire contrepoids à ces courants religieux qui font main basse sur des proies vulnérables. La raison manque souvent d'arguments contre la force de la foi aveugle. Il est donc important d'offrir une analyse intelligente aux modérés et à tous ceux qui réfléchissent aux questions existentielles.

Les échanges stériles n'aboutissant qu'au refus de tout changement, transportons plutôt le dialogue en terrain neutre où l'interprétation du message pourra être remise en question. Une meilleure compréhension des origines de la «foi» peut contribuer à ébranler les prises de position extrêmes, sources croissantes de clivage dans nos sociétés. Pour combattre le fanatisme religieux, il est vain de le critiquer ou de lui opposer un autre fanatisme. Mieux vaut le retour aux sources (les Saintes Écritures) et l'analyse du précepte commun (l'interprétation classique) pour en proposer une explication plus réaliste. À l'heure d'une mondialisation galopante qui bouscule et entrechoque les valeurs de milliards d'individus, il est urgent de jeter des ponts pour faciliter le dialogue entre les cultures. Car si certains extrémistes se retranchent derrière une interprétation fallacieuse de leur religion pour alimenter la haine de l'autre, c'est paradoxalement par le biais de ces mêmes religions – qui ne divergent trop souvent que par la forme – que tant d'autres hommes et femmes de bonne volonté aspirent aux valeurs universelles de paix, de respect et de liberté.

Si nous voulons reconnaître dans les écrits une dimension sacrée, c'est parce que leur nature universelle et symbolique, bien plus que la croyance d'une intervention divine, nous y invite. Ces textes semblent plutôt avoir été inspirés par l'éternelle sagesse bienveillante de l'homme, au même titre que les enseignements philosophiques, bouddhistes ou hindouistes. Tous contribuent au développment de la spiritualité et à l'éveil de l'homme et de la femme. À ce titre, ils conservent une valeur d'enseignement inestimable, mais plutôt que de vouloir les ériger en dogme, il serait plus sage de les «traduire», de les moderniser et de leur rendre toute leur authenticité.

Complément d'étude

Une partie importante de notre démonstration repose sur la prémisse voulant qu'Abraham soit né en 1810. Mais comment prétendre à une date si précise alors qu'on ne retrouve aucune trace du personnage? La démarche ne laisse-t-elle pas place à l'erreur ou au questionnement? Pourquoi Abraham ne serait-il pas né quelques années plus tôt ou plus tard et en quoi cela changerait-il notre démonstration? Pour se convaincre qu'Abraham est bel et bien né en 1810, observons l'incidence résultant du devancement ou du retardement de cette date. L'événement qui offre le plus d'intérêt pour situer Abraham est la guerre des Rois, car il permet un rapprochement avec Hammourabi.

Rappelons d'abord que la démonstration présentée au chapitre 6 atteste qu'Abraham et Hammourabi sont très probablement contemporains et issus du même groupe de conquérants amorrites ayant immigré en Mésopotamie au tournant du deuxième millénaire. Cette démonstration nous permet de situer Abraham au XVIIIe siècle AEC.

Il convient de rappeler les données fournies par l'histoire et par la Bible, car elles offrent des points d'ancrage autour desquels les éléments de preuve pourront être assemblés.

Sur le règne de Hammourabi

La correspondance diplomatique de Hammourabi nous apprend qu'il se consacre à l'expansion de son royaume après la 25e année de son règne. Il défait les royaumes d'Élam et de Larsa respectivement les 28e et 29e de son règne et il meurt lors de la 42e année.

Comme notre théorie veut que la guerre des Rois ait servi de prélude à la montée en puissance de Hammourabi, il convient de situer cette guerre entre la 25e et la 29e année de son règne. On peut exclure l'hypothèse qu'elle soit survenue après la 29e année de règne, car ses alliés d'Élam et de Larsa ont déjà été capturés. Par contre, rien ne permet d'exclure, pour l'instant, que cette guerre puisse se situer avant la 25e année.

La fenêtre de possibilité à l'intérieur de laquelle Hammourabi aurait pu participer à cette guerre semble être d'au moins quatre ans, car elle pourrait s'ouvrir avant la 25e année sans toutefois se poursuivre au-delà de la 29e.

Sur le récit d'Abraham

Les dates relevées dans les Écrits et soumises au facteur multiplicateur 6/10 nous apprennent qu'Abraham arrive en Canaan à l'âge de 45 ans. Entre son arrivée et la guerre des Rois, il y a eu la famine qui l'a poussé à se réfugier en Égypte pendant un certain temps. Ce n'est qu'après la sécheresse et son retour en Canaan qu'il pourra participer à la guerre des Rois. Par ailleurs, la chronologie des évènements du récit témoignent que l'Alliance qu'il conclut avec Hammourabi survient après cette guerre mais avant la naissance d'Ismaël. L'Alliance doit donc avoir lieu avant qu'Abraham n'atteigne l'âge de 52 ans, car cela correspond à l'âge qu'il a lors de la naissance d'Ismaël.

La fenêtre de possibilité à l'intérieur de laquelle Abraham aurait pu participer à cette guerre est donc de sept ans: elle s'ouvre lorsqu'il a 45 ans et se referme quand il atteint 52 ans.

Sur la relation entre les deux protagonistes

Isaac vient au monde lorsque Abraham a 60 ans, c'est-à-dire quinze ans après son entrée en Canaan. Pour que Hammourabi puisse être le géniteur d'Isaac, il doit forcément engendrer celui-ci avant de mourir, donc au plus tard dans sa 42e année de règne. On ne peut donc situer l'entrée d'Abraham en Canaan après la 28e année de règne de Hammourabi (=42-15). Voilà qui rétrécit d'une année (de la 29e à la 28e) notre fenêtre de possibilités pour Hammourabi.

Les Écrits confirment également que la ville de Sodome est toujours soumise au roi d'Élam lors de la guerre des Rois. C'est donc que le roi d'Élam n'avait pas encore été défait par Hammourabi. Par contre, Hammourabi devra devenir le nouveau maître de Sodome avant de pouvoir sceller une Alliance avec Abraham. La défaite d'Élam ne peut donc survenir qu'après l'entrée en Canaan, mais avant qu'Ismaël ne vienne au monde. Cela nous amène à conclure que l'entrée en Canaan ne peut survenir plus de sept ans avant la défaite du royaume d'Élam. Et sachant qu'Élam est défait lors de la 28e année de règne, l'entrée en Canaan ne peut survenir avant la 21e année de règne de Hammourabi (=28-7).

Sur la « bonne » chronologie

Les dates retenues dans cet ouvrage qui situent le règne de Hammourabi dans un contexte historique correspondent à ce qu'il convient d'appeler la «chronologie moyenne». Selon cette chronologie, Hammourabi est né en 1810 et prend le pouvoir en 1792.

Comme la guerre des Rois doit se situer entre les 21e et 28e années de règne de Hammourabi et qu'Abraham a 45 ans lors de son entrée en Canaan, la guerre des Rois doit se situer entre 1771 (=1792-21) et 1764 (=1792-28). La naissance d'Abraham a lieu 45 ans plus tôt, soit entre 1816 (=1771+45) et 1809 (=1764+45).

Mais toutes ces dates étant relatives les unes par rapport aux autres, elles pourraient tout aussi bien se transposer dans une autre chronologie. En effet, certains spécialistes situent plutôt la naissance de Hammourabi une cinquantaine d'années plus tôt, d'autres plus tard. Alors, pourquoi opter pour la chronologie moyenne ? Ce sont les données dendrochronologiques qui permettent de situer l'éruption du mont Théra en 1649 ainsi que la parfaite adéquation entre cette éruption, la prise de pouvoir des Hyksôs et les Écrits qui nous confortent dans ce choix.

Sur la naissance d'Abraham

Mais si la naissance d'Abraham peut se situer entre 1816 et 1809, pourquoi arrêter notre choix sur 1810 ?

Les écrits bibliques confirment que le géniteur d'Isaac a 60 ans lorsque Sarah tombe enceinte. Selon ces mêmes écrits, Abraham a 60 ans lors de la naissance d'Isaac. Cette double précision permet de conclure que Hammourabi et Abraham ont le même âge, à quelques mois près. Cette information étant sujette à interprétation, confirmons-la autrement.

Si Abraham est né la même année que Hammourabi, il est né en 1810. Dans ce cas, il entre en Canaan en 1765 (=1810-45), soit un an avant la défaite de Élam. S'il y a famine en Égypte, il ne rentre sans doute en Canaan que lorsque celle-ci est terminée.

Nous avons vu au chapitre 8 comment les données dendro-chronologiques disponibles pour le XVIIᵉ siècle AEC nous ont permis de situer l'éruption du mont Théra en 1649. Les mêmes données, mais recueillies pour le XVIIIᵉ siècle AEC, nous permettent de constater que l'année 1765 a connu un retour à la normale après la plus longue période de sécheresse du siècle[173]. Nous croyons que cette période correspond à la famine qui pousse Abraham en Égypte.

---

173 Peter I. Kuniholm, Maryanne W. Newton, Carol B. Griggs et Pamela J. Sullivan, *Dendrocrhonological Dating in Anatolia: The Second Millennium BC*, Cornell University, 2005

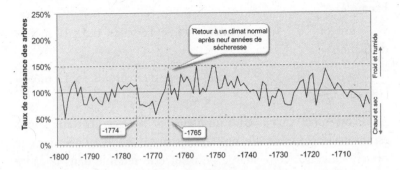

41: Données dendrochronologiques pour le XVIIIe siècle AEC

Ces données dendrochronologiques confirment que c'est donc probablement au cours de 1765 ou au début de 1764 qu'Abraham revient en Canaan, les risques liés à la sécheresse étant écartés. Il n'aura donc séjourné en Égypte que quelques mois. Comme il est improbable qu'Abraham ait quitté l'Égypte avant la fin de cette longue sécheresse, la guerre des Rois ne peut survenir avant cette date.

Situer le retour en Canaan en 1765 laisse effectivement assez de temps à Abraham pour participer à la guerre des Rois, avant que Hammourabi ne défasse Élam en 1764.

Ces conclusions témoignent encore une fois de la grande précision des données de la Bible, car toutes les pièces du puzzle s'assemblent parfaitement.

Sur la marge d'erreur

Une certaine marge d'erreur doit malgré tout être allouée, car si un événement est signalé pour une année donnée, on ne sait pas s'il s'agit du début ou de la fin de l'année. De plus, bien que la grande majorité des années se convertissent sans reste lors des rétablissements 6/10, nous avons quand même retenu un arrondissement simple (1,4 = 1 mais 1,6 = 2) qui autorise jusqu'à six mois d'erreur.

Exemple

7 ans x 6/10 = 4,2 = 4 années (marge d'erreur = 0,2 x 12 mois = deux mois)

9 ans x 6/10 = 5,4 = 5 années (marge d'erreur = 0,4 x 12 mois = cinq mois)

C'est ainsi qu'en additionnant les marges d'erreur, nous estimons la précision de nos calculs à ±1 an. Négligée dans le présent ouvrage, cette marge pourrait être retenue dans le cadre d'une étude plus approfondie.

« Nous brûlons de désir de trouver une assiette ferme et une dernière base constante pour y édifier une tour qui s'élève à l'infini; mais tout notre fondement craque et la terre s'ouvre jusqu'aux abîmes. » — Blaise Pascal, *Pensées* n°84

Remerciements

J'aimerais exprimer ma profonde gratitude envers mon père Raymond pour son aide précieuse : j'ai pris le plus grand plaisir à travailler avec lui. « *Cent fois sur le métier…* »

Je tiens également à souligner l'apport de Christine, mon amoureuse et ma première lectrice. Pour son *inémesurable* (sic) patience, ses encouragements et son engagement quotidien dans ce projet.

Plusieurs personnes ont été assez aimables pour lire le manuscrit dans son intégralité avant publication. Ce sont Paul-André Turcotte, André Reny, Andréa Richard, Daniel Anderson, François Brochu, Danielle Marchand, Réjeanne De Guise, François Camus et Marcel Bruno. Je tiens à les remercier pour les encouragements et les critiques judicieuses qu'elles m'ont adressés.

Merci à ma famille et mes amis et tout particulièrement à mes filles, Émilie et Chloé, ainsi qu'à mon collègue et partenaire d'affaires David, pour la patience qu'ils ont su témoigner à mon égard. Ils ont été une source constante d'inspiration et de motivation.

Enfin, toute ma reconnaissance va à André Serra et Claude-Émilie Marec des éditions Éditas, deux personnes exceptionnelles. C'est un honneur de leur être associé.

LISTE DES ILLUSTRATIONS

ICONOGRAPHIE

Nos remerciements vont aux personnes et aux institutions énumérées ci-dessous pour nous avoir permis d'utiliser les images et les photos protégées par droits d'auteurs.[174]

Couverture : Photograph © The State Hermitage Museum – 1, 2, 3, 4, 6, 8, 9,11,12,13, 20, 21, 23, 24, 25, 26, 27, 28, 29, 30, 31, 32, 33, 34,38, 40, 41 © Bernard Lamborelle – 5 © iStockphoto.com/Fabio Bianchini – 7 © iStockphoto.com/Mark Goddard – 18 © iStockphoto.com/John Said

Images du domaine publique reproduites avec autorisation :

10 : Iraqi Directorate General of Antiquities – 14 : Lasse Jensen, 2004 – 15, 16, 17, 19 : Fritz-Milkau-Dia-Sammlung – 22 : NASA/JPL-Caltech – 35 : A. H. Gardiner, 1916 – 37 : OldBookArt/W. Struse Collection (1) – 36, 39 : Boston Public Library's photostream (2)

(1) Images extraites de :

Mathematical Astronomy by C.W.C. Barlow & G.H. Bryan (1893); Dawn of Astronomy by Sir Norman Lockyer (late 1800's); Baedeker's Palestine and Syria (1912); An Illustrated History of the Holy Bible, published by Henry Bill (1871); and The Holy Bible, published by John E. Potter and Company (late 1800's).

(2) Licence de documentation libre de GNU :

La reproduction exacte et la distribution intégrale de cet article sont autorisées dans le monde entier sans redevance et sur tous supports pourvu que la présente notice soit préservée.

---

174 Bien que nous ayons mis tout en œuvre pour obtenir les autorisations nécessaires, nous présentons nos excuses pour les omissions qui auraient pu se produire et nous nous engageons à apporter les corrections appropriées dans les éditions futures.

BIBLIOGRAPHIE

A. Van Selms, *Marriage and Family Life in Ugaritic Literature*, Luzac, 1954

Alan Henderson Gardiner, *Egypt of the Pharaohs: An Introduction*, Oxford University Press US, 1964

Alan Henderson Gardiner, *The Admonitions of an Egyptian Sage from a Hieratic Papyrus in Leiden* (pap. Leiden 344 recto), Georg Olms Verlag, 1990 (réimpression de l'édition Leipzig 1909)

Albert De Pury et Thomas Römer, *Le Pentateuque en question : Les origines et la composition des cinq premiers livres de la Bible à la lumière des recherches récentes*, Labor & Fides, 1989

Alberto Ravinell Whitney Green, *The Storm-god in the Ancient Near East*, Eisenbrauns, 2003

André Finet, *Le Code de Hammurabi*, Éditions du Cerf, 2004

Avner Falk, *A Psychoanalytic History of the Jews*, Fairleigh Dickinson Univ Press, 1996

Bartel Leendert Waerden, *Science Awakening*, Second Edition, Oxford University Press, 1961

Bruce G. Trigger, *Understanding Early Civilizations: A Comparative Study*, Cambridge University Press, 2003

Casimir Joseph Davaine, *Recherches sur l'anguillule du blé niellé considérée au point de vue de l'histoire naturelle et de l'agriculture: mémoire couronné par l'Institut*, J.-B. Baillière, 1857

Christiane Desroches Noblecourt, *Le fabuleux héritage de l'Egypte ancienne*, Édition Pocket, 2006

Christopher Bronk Ramsey, Sturt W Manning, Mariagrazia Galimberti, *Dating the volcanic eruption at Thera*, Radiocarbon, Vol 46, Nr 1, 2004

Claus Westermann, John J. Scullion, *Genesis 12-36*, Fortress Press, 1985

Colin J. Humphreys, *The Miracles of Exodus: A Scientists Discovery of the Extraordinary Natural Causes of the Biblical Stories*, HarperCollins Publishers, 2004

Cyril J. Gadd, *Hammurabi and the End of His Dynasty*, Cambridge Ancient History, édition révisée, vol. 2, ch. 5, 1965

David Noel Freedman, Allen C. Myers, Astrid B. Beck, *Eerdmans Dictionary of the Bible*, Wm. B. Eerdmans Publishing, 2000

David Damrosch, *The Buried Book: The Loss and Rediscovery of the Great Epic of Gilgamesh*, Macmillan, 2007

David F. Greenberg, *The Construction of Homosexuality*, University of Chicago Press, 1988

Dominique Valbelle, *Histoire de L'Etat Pharaonique*, Presses universitaires de France, 1998

Dwight W. Young, *A Mathematical Approach to Certain Dynastic Spans in the Sumerian King List*, Journal of Near Eastern Studies, Vol. 47, No. 2, Avril 1988

Edward F. Wente and Charles C. Van Siclen III, *A Chronology of the New Kingdom, in Studies in Honor of George R. Hughes*, Oriental Institute, 1976

Eric H. Cline, *From Eden to Exile*, National Geographic, 2007

Ernest Wilson Nicholson, *The Pentateuch in the Twentieth Century: The Legacy of Julius Wellhausen*, Oxford University Press, 1998

Fritz Hommel, *The Civilization of the East*, Elibron Classics, 2001 (réimpression de l'édition J .M. Dent & Co., London, 1900)

Grand dictionnaire terminologique, Office québécois de la langue française, 2002 (www.granddictionnaire.com)

Geoffrey W. Bromiley, *The International Standard Bible Encyclopedia*, Eerdmans Publishing, 1995

George Rawlinson, *Ancient Egypt*, Fifth Edition, Fisher Unwin, 1886

Gérald Messadié, *Les cinq livres secrets dans la Bible*, Jean-Claude Lattès, 2001

Harry A. Hoffner, Gary M. Beckman, Richard Beal, Richard Henry Beal, John Gregory McMahon, *Hittite Studies in Honor of Harry A. Hoffner, Jr*, Eisenbrauns, 2003

Henri Frankfort, Samuel Noah Kramer, *Kingship and the Gods: A Study of Ancient Near Eastern Religion as the Integration of Society & Nature*, University of Chicago Press, 1978

Horace Everett Hooper, *Encyclopædia Britannica Eleventh Edition*, Cambridge University Press, 1909

H. Vincent, *Canaan d'après l'exploration récente*, Paris, 1907

Ian Shaw, *The Oxford History of Ancient Egypt*, Oxford University Press, 2002

Israel Finkelstein, Neil Asher Silberman, *The Bible Unearthed*, Simon & Schuster, 2002

J. Zandee, *Le Roi-Dieu et le Dieu-Roi dans l'Égypte ancienne*, Numen, Vol. 3, Fasc. 3 (Sep. , 1956), BRILL

Jaime Vladimir Torres-Heredia Julca, *Un lien géométrique entre le cercle et le système sexagésimal*, Université de Genève, juillet 2005

Jan Vansina, H. M. Wright, Selma Leydesdorff, Elizabeth Tonkin, *Oral Tradition: A Study in Historical Methodology*, Transaction Publishers, 2006

Jared Diamond, *Guns, germs, and steel*, W.W. Norton & Company, 1999

Jean Bottéro, *L'épopée de Gilgamesh: Le grand homme qui ne voulait pas mourir*, Gallimard, 1992

Jean Bottéro, S.N.Kramer, *Lorsque les dieux faisaient l'homme. Mythologie mésopotamienne*, Gallimard, 1989

Jean-Vincent Scheil, *La loi de Hammourabi roi de Babylone vers 2000 av. JC.*, E. Leroux, 1904

J.M. Roberts, *The New Penguin History of The World*, Penguin Books, 2004

John Arendzen, *The Catholic Encyclopedia*, Robert Appleton Company, 1907

John Bright, William P. Brown, *A History of Israel*, Westminster John Knox Press, 2000

John C.L. Gibson, *Canaanite Myths and Legends*. T & T Clark Ltd, 1977

Josèphe Flavius, *Antiquités Judaïques*, traduit par René Harmand, Publications de la Société des études juives, 1900-1932

Josèphe Flavius, *Contre Apion*, traduit par René Harmand, Ernest Leroux, 1911

Kathryn A. Bard, Steven Blake Shubert, *Encyclopedia of the Archaeology of Ancient Egypt*, Routledge, 1999

Karen Armstrong, *A history of God*, Ballantine Books, 1993

Karl Menninger, Paul Broneer, *Number Words and Number Symbols: A Cultural History of Numbers*, Courier Dover Publications, 1992

Kim Ryholt, *The Political Situation in Egypt during the Second Intermediate Period c.1800-1550 B.C.*, Museum Tuscalanum Press, 1997

Madeleine Lurton Burke, Madeleine Burke, Paule Jarre-Chardin, *Dictionnaire archéologique des techniques: (1-2. A- Z)*, Éditions de l'Accueil, 1963

Marc Van de Mieroop, *A History of the Ancient Near East*, Ca. 3000-323 BC, Blackwell Publishing, 2004

Marc Van de Mieroop, *King Hammurabi of Babylon: A Biography*, Blackwell Publishing, 2005

Margaret Whitney Green, *Eridu in Sumerian Literature*, PhD dissertation, University of Chicago, 1975

Mario Liverani, Zainab Bahrani, Marc Van De Mieroop, *Myth and Politics in Ancient Near Eastern Historiography*, Cornell University Press, 2004

Marvin Meyer, *The Gnostic discoveries*, Harper San Fransisco, 2005

Mircea Eliade, *A history of religious ideas*, University of Chicago Press, 1978

Nancy K. Sandars, *Poems of Heaven and Hell from Ancient Mesopotamia*, Penguin, 1971

Nicolas Grimal, Ian Shaw, *A History of Ancient Egypt*, Blackwell Publishing, 1994

Niels Peter Lemche, *The Canaanites and Their Land: The Tradition of the Canaanites*, Continuum International Publishing Group, 1991, p. 154

Norman Lamm, *The Religious Thought of Hasidism: Text and Commentary*, KTAV Publishing House, Inc., 1999

P. Mack Crew, I. E. S. Edwards, J. B. Bury, Cyril John Gadd, Nicholas Geoffrey, Lemprière Hammond, E. Sollberger, *The Cambridge Ancient History: C. 1800-1380 B. C.*, Cambridge University Press, 1973

Peter I. Kuniholm, Maryanne W. Newton, Carol B. Griggs et Pamela J. Sullivan, *Dendrocrhonological Dating in Anatolia: The Second Millennium BC*, Cornell University, 2005

Phyllis Young Forsyth, *Thera in the Bronze Age*, P. Lang, 1997

Richard Rudgley, *The Lost Civilizations of the Stone Age*, Simon & Schuster, 2000

Robert M. Best, *Noah's Ark and the Ziusudra Epic: Sumerian Origins of the Flood Myth*, Enlil Press, 1999

Roland de Vaux, *Histoire ancienne d'Israel. Des origines à l'installation en Canaan*, Lecoffre, 1971

Ronald Cohen, Judith Drick Toland, *State Formation and Political Legitimacy: Political Anthropology*, Transaction Publishers, 1988

Samuel Noah Kramer, *L'Histoire commence à Sumer*, Arthaud, 1956

Sigmund Freud, *Moïse et le monothéisme*, Éditions Gallimard, 1948

Shahrukh Husain, *The Goddess: Power, Sexuality, and the Feminine Divine*, University of Michigan Press, 2003

Sophie Cluzan, *De Sumer à Canaan*, Éditions du Seuil, 2005

Strobe Talbott, *The Great Experiment: The Story of Ancient Empires, Modern States, and the Quest for a Global Nation*, Simon & Schuster, 2008

S. W. Manning, C. Bronk Ramsey, W.Kutschera, T. Higham, B. Kromer, P. Steier, E. M. Wild, *Chronology for the Aegean Late Bronze Age 1700-1400 B.C.*, Science, Vol. 312, 2006

The Jewish Encyclopedia, Funk and Wagnalls, 1906

Theophilus Goldridge Pinches, *The Old Testament In the Light of the Historical Records and Legends of Assyria and Babylonia*, Elibron Classics, 2002 (réimpression de l'édition Society for Promoting Christian Knowledge, London, 1902)

T. K. Cheyne, J. Sutherland Black, *Encyclopedia Biblica, Vol. 1.*, The Macmillan Company, 1899

Ulf Oldenburg, *The Conflict between El and Ba'al in Canaanite Religion*, E. J. Brill, 1969

Victor J. Katz, Annette Imhausen, Eleanor Robson, Joseph Dauben, Kim Plofker, J. Lennart Berggren, *The Mathematics of Egypt, Mesopotamia, China, India, and Islam: A Sourcebook*, Princeton University Press, 2007

Victor P. Hamilton, *The Book of Genesis: Chapters 18-50*, Wm. B. Eerdmans Publishing, 1995

Virginia Maxwell, Mary Fitzpatrick, Siona Jenkins, Anthony Sattin, *Egypt*, Lonely Planet, 2006

William Foxwell Albright, *Yahweh and the Gods of Canaan: A Historical Analysis of Two Contrasting Faiths*, Doubleday & Company, 1968

Lectures complémentaires

Ahmed Osman, *Jesus in the House of the Pharaohs*, Bear & Company, 2004

Ahmed Osman, *Out Of Egypt*, Arrow Books, 1999

Amin Maalouf, *Les croisades vues par les Arabes*, Éditions J'ai lu, 2003

Charles Pope, *Living in Truth ÷ Archaeology and the Patriarchs*, www.domainofman.com

Christian Jacq, *Néfertiti et Akhénaton*, Perrin, 2005

Christopher Knight et Robert Lomas, *The Hiram Key*, Fair Winds Press, 2001

Gerald Massey, *Ancient Egypt – Light of the World*, T.Fisher Unwin, 1907

Louay Fatoohi, Shetha Al-Dargazelli, *History Testifies to the Infallibility of the Qur'an: Early History of the Children of Israel*, Quranic Studies, 1999

Maurice Bucaille, *Moses and Pharaoh in the Bible, Qur'an and History*, The Other Press

Messod et Roger Sabbah, *Secrets of the Exodus – The Egyptian Origins of the Hebrew People*, Helios Press, 2004

Ralph Ellis, *Jesus Last of The Pharaohs*, Edfu Books, 1998

Ralph Ellis, *Tempest & Exodus*, Edfu Books, 2000

Rusty Russell, *Bible History – OnLine*, www.bible-history.com

The Book of Mormon, Church of Jesus Christ of the Latter-day Saints, 1981

Tom Harpur, *The Pagan Christ*, Allen & Unwin, 2005

DISTRIBUTION DES RÔLES

Personnage	Origine	Description
Âa-ouser-Rê	Hyksôs	Nom que prit le roi hyksôs Apophis vers le milieu de son règne. *Ézer biblique?*
Aaron	Bible	Frère de Moïse appellé à exercer la prêtrise. Construit un veàu en or pendant l'Exode.
Abimélec	Bible	Roi de Guérar. Il prend Sarah. Menacé par Baal, il fera alliance avec Abraham et se soumettra à son autorité.
Abram, Abraham	Bible	Fils de Terakh. Premier Patriarche. Gouverneur de la région de Canaan. Il fait alliance avec Baal en échange de la «terre promise".
Ahmose	Égypte	Roi thébain de la XVIII\ :sup:`e` dynastie. Il complète l'expulsion des hyksôs au milieu du XVI\ :sup:`e` siècle AEC.
Amraphel	Bible	Participe à la guerre des rois contre Sodome. *Hammourabi, roi de Babylone?*
Apophis, Apepi	Hyksôs	Dernier des rois hyksôs. Il vécut un très long règne. Éphraïm biblique?
Arioc	Bible	Participe à la guerre des rois contre Sodome. *Eriaku, roi de Larsa?*
Baal, Bel	Levant	Grand dieu du Levant. Représenté par un veau, un taureau ou ses cornes. Également titre honorifique signifiant "maître" ou "seigneur". Équivalent de Mardouk.
Béthuel	Bible	Fils de Nakhor et neveu d'Abraham. Père de Rebecca, femme d'Isaac.
Beriha	Bible	Fils qu'Éphraïm engendre après la mort de ses autres fils.
Éphraïm	Bible	Fils de Joseph auquel Jacob accorde sa bénédiction au lieu de Manassé. *Apophis, roi hyksôs?*
Eriaku	Mésopotamie	Généralement associé à Rim-Sin, roi de Larsa, qui fut capturé par Hammourabi. *Arioc biblique?*

Personnage	Origine	Description
Esaü	Bible	Frère jumeau de Jacob qui perd son droit d'aînesse. *Sheshi, roi hyksôs?*
Ézer	Bible	Fils d'Éphraïm. *Apophis Âa-ouser-Rê, roi hyksôs?*
Galaad	Bible	Fils de Makir et arrière-petit fils de Joseph. Père de Shemida.
Gilgamesh	Mésopotamie	Roi mythique du déluge dont l'histoire s'apparente à celle de Noé.
Hammourabi	Mésopotamie	Roi célèbre de l'empire Babylonien. Connu pour son Code de lois. *Le "seigneur" d'Abraham?*
Haran	Bible	Fils de Terakh et frère d'Abraham. Père de Lot.
Ibi-Sin	Mésopotamie	Roi d'Ur. Sous son règne, les Amorrites, ancêtres d'Abraham, prennent le pouvoir.
Ismaël	Bible	Fils d'Abraham avec sa servante Hagar. Pour les musulmans, c'est le fils que Dieu demande à Abraham de sacrifier.
Isaac	Bible	Fils que "Dieu" accorde à Sarah. Héritier de la dynastie. *Fils de Hammourabi?*
Jacob	Bible	Fils d'Isaac et petit fils d'Abraham. *Yakub-her, roi hyksôs?*
Joseph	Bible	Fils de Jacob et arrière petit-fils d'Abraham. Père de Manassé et d'Éphraïm. *Khyan, roi hyksôs?*
Josué	Bible	Succède à Moïse dans la poursuite de l'Exode du peuple hébreu.
Kamosé	Égypte	Roi thébain de la XVIIe dynastie. Fils de Séquénerê Taâ. Participe à l'expulsion des Hyksos hors d'Égypte.
Kedor-Laomer	Bible	Roi d'Élam. Participe à la guerre contre Sodome. *Siwe Palar Khuppak, roi d'Élam?*
Khamoudi	Hyksôs	Dernier roi hyksôs. Se réfugie à Sharuhen pour finalement capituler après trois ans de siège. *Shemida biblique?*

Personnage	Origine	Description
Khyan	Hyksôs	Roi hyksôs. *Joseph biblique?*
Laban	Bible	Fils de Béthuel. Jacob se réfugie plusieurs années chez lui pour y travailler et marier ses filles Léa et Rachel.
Léa	Bible	Fille de Laban. Première femme de Jacob.
Lot	Bible	Fils de Haran et neveu d'Abraham. Habite Sodome. Capturé pendant la guerre des Rois.
Manassé	Bible	Fils de Joseph. *Yanassi, fils de Khyan?*
Makir	Bible	Fils de Manassé et petit-fils de Joseph. Père de Galaad.
Mardouk	Mésopotamie	Grand dieu de Babylone. Équivalent du dieu (non du titre) Baal.
Melchisédec	Bible	Roi de Salem. Prêtre païen. Célèbre la victoire d'Abraham contre les quatre rois venus attaquer Sodome.
Moïse	Bible	Grand prêtre et législateur du peuple hébreu qu'il emmènera hors d'Égypte lors de l'Exode.
Nakhor	Bible	Fils de Terakh et frère d'Abraham. Père de Béthuel.
Naram-Sin	Mésopotamie	Roi akkadien. Repousse les limites de l'Empire. Premier à s'autoproclamer «dieu vivant».
Rebecca	Bible	Fille de Béthuel et femme d'Isaac.
Rim-Sin	Mésopotamie	Roi de Larsa, capturé par Hammourabi. Généralement associé à Eriaku. *Arioc biblique?*
Salatis	Hyksôs	Premier roi hyksôs. *Isaac biblique?*
Samsu-iluna	Mésopotamie	Fils héritier de Hammourabi. Met Abraham à l'épreuve à la mort de son père? *Demi-frère d'Isaac?*
Sarai, Sarah	Bible	Fille de Terakh. Demi-sœur et femme d'Abraham.
Sargon d'Akkad	Mésopotamie	Roi akkadien. Premier à unifier la Mésopotamie et à donner naissance à un grand empire.

Personnage	Origine	Description
Séquénerê Taâ	Égypte	Roi thébain de la XVIIe dynastie. Il entreprend la guerre contre les Hyksôs. Il meurt d'une mort violente.
Siwe Palar Khuppak	Mésopotamie	Roi d'Élam contemporain de Hammourabi. Il complote pour défaire Hammourabi mais ce dernier vaincra. *Kedor-Laomer biblique?*
Shemida	Bible	Arrière-petit-fils de Manassé. *Khamoudi, dernier roi hyksôs?*
Sheshi	Hyksôs	Deuxième roi hyksôs. *Esaü biblique?*
Salomon	Bible	Roi de Jérusalem au tournant du millénaire. Fait construire le Temple de Jérusalem.
Terakh	Bible	Père d'Abraham, de Nakhor, d'Haran et de Sarah. Il quitte Ur pour se diriger vers Canaan.
Tidhal	Bible	Participe à la guerre des rois contre Sodome. *Tudhaliya, roi hittite?*
Tudhaliya	Mésopotamie	Roi hittite sans doute contemporain de Hammourabi. *Tidhal biblique?*
Ur-Nammu	Mésopotamie	Roi d'Ur. Premier à faire construire des ziggourats.
Yakub-her	Hyksôs	Troisième roi hyksôs. *Jacob biblique?*
Yanassi	Hyksôs	Fils de Khyan. *Manassé biblique?*

GÉNÉALOGIE DES PATRIARCHES – REVUE ET CORRIGÉE

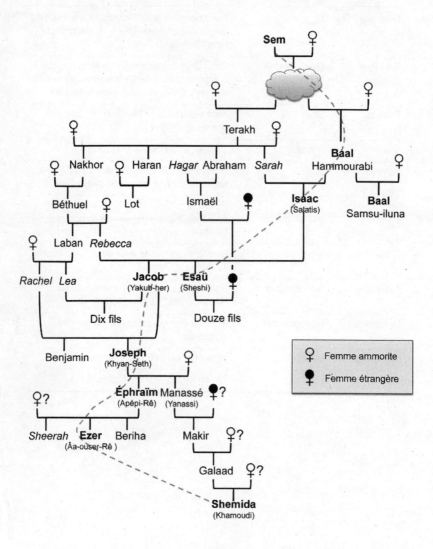